新しい教え方の教科書

Z世代の部下を持ったら読む本

人材育成コンサルタント
北 宏志

ぱる出版

はじめに

あなたは部下の指導方法を学んだことがありますか。

こう尋ねると多くの人は「マネージャーになった時に研修を受けたことがある」と答えます。しかし、研修で学んだことは、会社のルール、評価の仕方、そしてハラスメントへの対応……。これらは指導ではなく、いかに管理するかを学んだだけ。

今、**多くの日本企業で教えているのはマネジメントの方法であって、指導・教育の方法ではありません**。

では、この状況下で突然マネージャーになったあなたは、どんな指導をするのでしょうか。これもまた多くの人は、自分の上司がどうしてきたかを参考に、〝指導〟することになります。

仕事命、会社の言うことが絶対だった時代ならまだしも、今は令和。Z世代や、ゆとり・さとり世代と呼ばれるような部下たちに、かつてのやり方は通用しません。

結果として、〝部下がどんどん辞めていく〟〝指導をしているのに、ハラスメントだと捉えられる〟といった問題が発生するのです。


管理と指導は違います。そして**指導方法は学ばなければ、身に付きません。**

多様性社会が叫ばれる現代は、かつてのように画一的な管理方法では立ち行かなくなっています。今、改めて、適切な指導方法を身に付けましょう。


ここで少し、私についてお話しさせてください。私は現在、Z世代の若手社員研修を中心に、年間130回以上の研修・講演に登壇する人材育成コンサルタントをしています。

大学卒業後、中高一貫校で6年間社会科教諭として勤めていました。この時教えていた生徒たちは今、20代後半~30代に差しかかったところです。一部の教え子はすでにZ世代の部下を持っています。

今でもよく、彼らと会い、いろいろな話を聞きますが、〝私の若い頃とは考え方が違うな〞〝若い世代はこんな風に思っているんだな〞と驚くことがよくあります。これだけ考え方が違うのであれば、しっかりと向き合って、話を聞かなければ、彼らの意図を知ることはできません。

私は、教え子からフランクに、若者ならではの考えや発想方法を聞くことができますが、それが上司と部下という間柄だった場合、彼らはこんな風には話してくれないでしょう。

そして、毎回教え子たちから出る話題と言えば、会社や上司への不満です。ただ、よくよく話を聞くと、彼らに上司の意図がきちんと伝わっていないのではないかと思うことも多々あり、その**要因のほとんどがコミュニケーション不足にある**と感じています。本来はしっかりしたコミュニケーションが必要なはずの上司と部下が、どうして上手くコミュニケーションできていないのでしょうか。

話を私の経歴に戻しましょう。働き過ぎと周囲との人間関係が原因でうつ病を発症した私は教員を退職後、親族が経営するランドセルメーカーに転職しました。

そして、中国にある現地法人で部下80名を束ね、3年間で売上を約9・7倍に拡大させました。部下は全て、中国人です。もちろん日本語が話せるメンバーもいましたが、少しでも直接コミュニケーションを取りたいと考え、中国語も勉強しました。ここでさまざまな経験をしたことも今の私を構成する大切な要素です。

その学びの1つが、言葉も文化も異なるメンバーで、1つの目標に向かっていくために必要なのは管理ではないということ。本当に**必要なのは、彼らが何を考えているのか、どういう背景でどのような考え方をするのかを紐解くためのコミュニケーションであり、向かうべき方向へ進めるよう指導していくこと**だと学びました。

この学びは、外国人の部下を持っている場合だけでなく、世代の異なる部下を持つ場合にも共通するものです。

その後、日本とアジアの架け橋となり、教育をより良くしていきたいという思いで、人材育成コンサルタントとして独立しました。そして前述のように、Z世代の若手社員研修を中心に全国各地で研修や講演をしています。

また、人材育成の部署を持たない中小企業向けには、社員との1on1を代理で行うなど、社外メンターとしても活動しています。

1on1の場では、Z世代の若手社員たちからさまざまな話を聞きます。教え子との会話と同様に、〝Z世代はこんな風に思っているんだな〟と驚かされることも多々あります。

一方で、マネジメント層の方へのフィードバックの際には、**上司側が積極的なコミュニケーションをしていない、Z世代とのコミュニケーションの取り方が分かっていない**と感じさせられる場面が多々あります。

このような経験から、間に入っている私が持っているZ世代感や、Z世代とのコミュニケーションのノウハウをより多くの人に知っていただきたいという思いが生まれました。

本書は、令和時代の「教え方」を伝授する書籍です。

理論や難しい概念はありません。今日すぐに取り入れられるシンプルなメソッドを中心に、具体的なノウハウをお伝えします。

明日、そして未来の自分のための、令和版「教え方の教科書」をぜひお読みください。

新しい教え方の教科書 Z世代の部下を持ったら読む本 **目次**

STUDY 1 平成の教え方はもう通用しない、Z世代のホンネと令和の教え方

STUDY 2

教え育てることのスタートは、令和も良い関係をつくることから

STUDY 3

これさえ知っていれば怖いものなし、令和式教え方のキホン

STUDY 4

教えっぱなしはNG！丁寧なフォローが今どき部下を動かす

STUDY 5

一度教えるだけでは育たない、教え続けることの重要性とは

STUDY 6

仕組みをつくり、人格を磨き続けて教え方のアップデートを

●ブックデザイン
吉崎広明(ベルソグラフィック)
●イラスト
にしだきょうこ(ベルソグラフィック)
●企画協力
ネクストサービス株式会社(代表 松尾昭仁)
●編集　岩川実加

STUDY 1

平成の教え方はもう通用しない、Z世代のホンネと令和の教え方

01

「Z世代は何を考えているか分からない」ではもう上司失格

企業のマネジメント層が口癖のようについ言ってしまう「Z世代は何を考えているか分からない」という発言。皆さんも心当たりはありませんか?

Z世代とは、1990年代中盤から2000年代終盤、または2010年代序盤までに生まれた世代を指す言葉です。ということは、彼らは今おおよそ中学生から20代後半にあたります。20代後半と言えば、すでに会社では欠かすことのできない戦力になっていることでしょう。そんな彼らが「何を考えているか分からない」のでは、組織やチームを円滑に運営することは難しくなります。**今マネジメント層に求められているのは、彼らの考えを理解し、彼らのパフォーマンスを高めること**なのです。

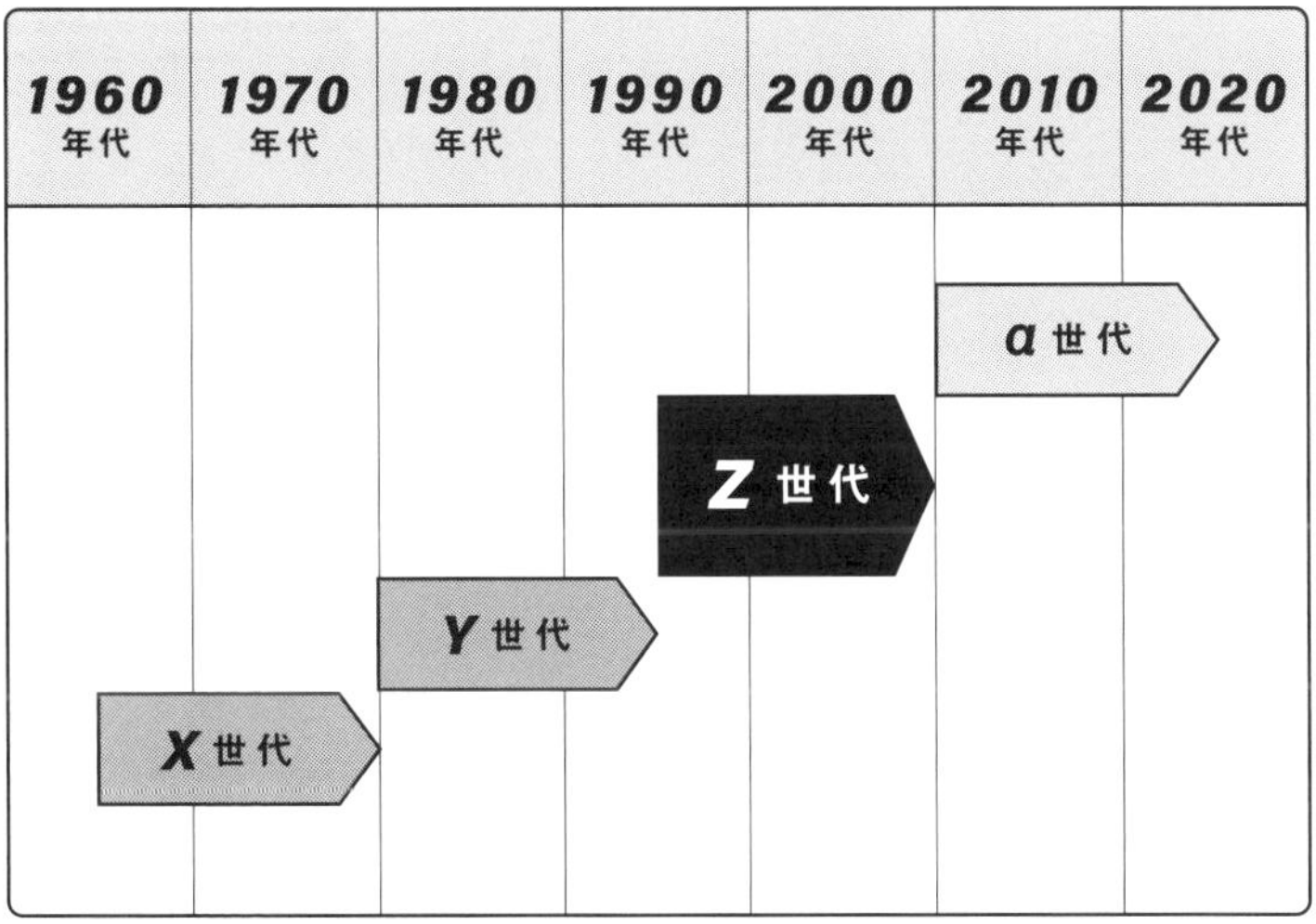

にもかかわらず、彼らの考えが分からないと堂々と発言していては、もはや上司失格と言われても仕方ありません。これからの上司に必要なのは、Z世代を的確にマネジメントする能力と言っても過言ではないでしょう。

02

情報収集力があり自分の意見を持つZ世代は、うまく教えれば大きな戦力になる

ではZ世代とはどんな世代なのでしょうか。

彼らは生まれた時からインターネットがあることが当たり前の世代です。気になったことはパソコンやSNSで検索するのも、彼らには当然のやり方。**自分が必要だと思う情報をキャッチアップすることが得意な世代**だとも言えます。

かつて会社において当たり前だとされていたような、〝上司の背中を見て覚える〟〝だまって言われたことをやっていれば、やがて成長する〟などといった考えは、Z世代には当てはまらないのです。

またZ世代は、幼い頃から多種多様な情報に触れられる環境にあったことで、**きちんと自分の意見を持つことができている世代**だと、私は考えています。彼らは「何を考えているか分からない」のではなく、**マネジメント層が彼らの考えていることを引き出せていない、引き出そうとしていないだけ**なのです。

このような特徴を持つZ世代は、我々が考えているよりもずっと大きな可能性を秘めた、企業にとって大切な存在、まさに今後の会社の行方を左右する重要な戦力になるはず。でも、彼らの能力が発揮されていないとすれば、それは厳しい言い方をすれば、マネジメント層の指導・教育不足なのです。

03

「パワハラが怖くて叱れない」「Z世代は言われたことしかできない」は誤解

一方近年は、コンプライアンスの時代でもあり、この点がマネジメント層の頭を悩ませるものの1つであることは間違いありません。人によっては、「パワハラだと思われるのでは」という不安から、部下を叱ることができない上司も……。**その要因こそ、マネジメント層が教え方を学んでこなかったことにある**のです。

本来、叱ることは指導であり、教育です。パワハラとは違います。そこを混同し、**マネジメント層が適切な対応を取れていないことを、相手が〝Z世代だから〟と、若者側の責任とするのはあまりにも的外れ**ではないでしょうか。

また、「Z世代は言われたことしかできない」と思っている上司も多いようです。

しかし、前述したように、本来彼らはきちんと自分の意見を持っている世代のはず。ではなぜ彼らは、会社において正しいパフォーマンスを発揮する意思を無くしてしまうのでしょうか。それとも、彼らは本当に「言われたことしかできない」世代なのでしょうか。

ここからは、Z世代が持つ仕事観について、考えていきたいと思います。

04

「Z世代の3つの仕事観」を知ると行動や反応が先読みできる

職業柄、私は多くのZ世代のメンターを務めており、彼らの話をよく聞きます。その中で私なりに感じたZ世代の3つの仕事観があります。

1　会社に選んでもらうのではなく、自分に合った会社や仕事は自分で選ぶことができるし、選べる世の中である

かつては一度入った会社に尽くすことが美徳とされる、そして多くの場合、終身雇用が保証されている時代がありました。しかし今は違います。転職や独立をすることが当たり前、自身の力でスキルアップをしていくことが当然の時代です。Z世代は〝自分を選んでくれた会社に恩返しをする〟という価値観よりも、**〝自分に合う会社や仕事を選び、自分**

の成長のため、自分を中心に考えて働く〟ことにプライオリティを置いているのです。

2　週休2日が譲れない条件、プライベートの時間が得られるかを重視する

会社のためなら、休日の電話対応も当たり前、土日出勤だって、夜間の接待だって、マネジメント層から見れば、〝仕事のためにやむを得ないこと〟。しかし、ここでももうそんな時代は終わったのです。**今、Z世代たちは、きちんと自分の時間が確保できる、プライベートを優先できる環境が当然だと考えています。**もちろん彼らが全く残業をしないとか、プライベートの時間を犠牲にしないわけではありません。そこにきちんとした理由付けや意義があるか否かがポイントです。

3　世の中を悲観的に見ているので、高い報酬より安定性を求める

Z世代は〝失われた30年〟の中で生まれ、育ってきています。常に経済は不安定であり、少子高齢化といった社会の先行き不安を感じる環境が彼らにとっては当たり前の日本。そ

んな環境は彼らを悲観的にさせています。
Ｚ世代にとってはだいぶ昔、マネジメント層にとっては一昔前の日本ではまだ、〝頑張れば報われる〟というサクセスストーリーを身近に感じることができました。
しかし今、Ｚ世代たちがそんな夢物語を描くのは難しいでしょう。結果的に彼らは、**大きな成功により高い報酬を得ることよりも、明日、明後日、近い未来に安心して暮らせる、安定性のある働き方を求めている**のです。

いかがですか？「Ｚ世代の３つの仕事観」に皆さんも心当たりがあるのではないでしょうか。彼らの価値観は、昭和世代とは大きく異なっていますし、１つ前の平成世代ともやはり少し違ってきています。

では、そんなＺ世代のモチベーションを上げるため、上司としてどのように働きかけをすべきなのかを考えていきましょう。

05

自己主張が強いZ世代には どんどん意見を出させ、役割を与える

1つ目は**彼らの意見を採用し、彼ら主導で物事を進められる環境を用意する、彼らにしかできない（と感じられる）役割を与えること**だと思います。

先ほど、「Z世代は言われたことしかできない」という声を紹介しました。言われたことしかしないのは、その業務が彼らにとって〝自分事化〟していないから。自分の意見で進んでいく、自分の意見をきちんと反映できる業務であれば、彼らはこの業務を〝自分事化〟し、率先して進めていってくれるでしょう。

もちろん、全てを彼らの思うままに進めさせて良いわけではありません。上司は様子を見守りつつ、時にさりげなく軌道修正をし、業務を円滑に進めるサポートをする必要があります。

06

令和はコスパ・タイパ重視の時代、コツコツ仕事は中高年の仕事と割り切る

2つ目は、**Z世代ならではの考えを受け入れること。**ならではの考えとは、今よく耳にする〝コスパ〟〝タイパ〟です。**Z世代は仕事においても、プライベートにおいても、行動や費用とその効果が見合っているかを冷静に判断しています。**

よく考えてみると、企業でも費用対効果を検証するところは多いでしょう。それと同じことを、彼らは自分自身に当てはめて考えているのです。彼らはコスパ、タイパに見合っていると感じる業務であれば、適切にしっかりと進めていく能力を持っていますし、さらにブラッシュアップした進め方をしてくれる可能性も高いでしょう。

と、ここで1つ、問題が発生します。それは、**会社には、どう考えても無駄だな、コス**

パが悪いな、と感じる業務があること。例えば、パソコンに計算させればあっという間なのに、いまだに紙ベースでデータ整理を行っている、メールにPDFを添付すれば良い経理書類なのに、プリントアウトして経理部まで提出しなければいけない、といった些細なことに心当たりがある方も多いでしょう。

マネジメント層にとっては〝それが会社のルールだから〟で済んできたことも、Z世代にとっては大きな疑問点になる場合があります。**それが積もり積もって、やがて退職してしまうという結末を迎える前に、会社として、上司として、手を打つことが肝要**なのです。

極端に言えば、彼らがやりたがらないことは、マネジメント層が率先して引き受けるくらいの気持ちでも良いのかもしれません。また、そのような業務を得意とする世代に任せるというのも1つの方法でしょう。

では、そんなZ世代にとって居心地が良い会社とはどのような職場なのでしょうか？

07

Z世代が働きたい職場の3つの条件とは

私が感じる**条件の1つ目は「細かく丁寧な指導」がなされる職場**です。コスパ、タイパを求める彼らに「まずは自分で考えてやってみて」はNG。そう言われてやってみたのに、失敗する、後から訂正されるというプロセスは、Z世代にとってはまさに〝無駄〟、彼らのやる気をそぐことにしかつながりません。

Z世代が求めているのは、最も効率的な正解、無駄のないプロセスなのです。そこで重要なのが、マネジメント側が一度明確な正解を示し、それができるようになるまで丁寧に指導していくこと。Z世代は適切な方法論を学び、求められている結果を理解すれば、素晴らしいパフォーマンスが発揮できる、自分がいるべき職場だと感じてくれるでしょう。

条件の2つ目は「風通しが良い」ことではないでしょうか。これは、Z世代にかかわらず、誰もが求めることではありますが、ことZ世代には、その傾向が強いように思います。はき違えてはいけないのは、風通しが良いことと仲が良いことは違うという点です。彼らは何も皆仲良しな環境を求めているわけではなく、もちろん飲みニケーションが横行している職場が働きやすいと考えているわけでもありません。

Z世代が求めているのは、自分の意見をきちんと主張できる、上司からの命令で動くのではなく、話し合うことができる、年齢にかかわらず、正しいことを言え、それが採用される、そんな環境なのです。

それを実現させるために重要なのは、ここでも上司側のサポートです。意見を主張できる環境だからと言って、全てをZ世代の言うがままにしておくことはできません。また、Z世代に気を遣うあまり、一方の意見を積極的に採用し、正しい判断軸をぶらしてもいけません。

マネジメント層が適切なタイミングで、適切な指導や教育を行ってこそ、Z世代が望むような風通しの良さを生み出すことができるのです。

条件の3つ目は「福利厚生の充実」です。突然、やけに現実的ですね。そう、コスパやタイパを重視するZ世代はとても現実的。〝陽の目を見なくても、コツコツやっていればいつかは……〟なんていうロマンを持つことは少ないのです。

今、自分が過ごす場所が快適か、自分に見合った見返りが受けられているか。彼らは冷静に観察しています。その表れの1つが福利厚生。たしかに最近では、各種手当が揃っていることは大前提、その上で、プライベートで利用できる施設の利用権や、食事やアルコールが無料提供されるオフィスまであるようです。

昭和世代からすると、〝意味が分からない〟ことかもしれませんが、これも時代と思い、理解してください。彼らが求めているのは、安定した生活なのですから。

では、お給料の面でも彼らはシビアな視点を持っているのでしょうか？

08 Z世代は給料より、成長させてくれる上司や休暇を求めている

もちろん、お給料は安いよりは高い方が良いのは当然です。一方で、私が普段接する**Z世代たちは、それ以外のものを求めている場合が多いのも、彼らならではの特徴の1つ**だと感じています。

ここからは、私がこれまで行ったZ世代との1on1の中で、印象的だった言葉を紹介させていただきます。

中小企業で営業職を務めるAさんは「この会社にずっといるわけではない」と前置きしつつ、「せっかくだからここにいる間に、営業として成長したい。それをサポートしてくれる上司がいる間は頑張って働く」と話してくれました。

〝せっかくだから〟という点にコスパ、タイパを求める世代感が表れていますね。**ただ日常をなんとなく過ごすのではなく、身に付けられるものは身に付けておきたい**ということでしょう。

Aさんは運良く、自分が理想とする営業スタイルを持つ上司の下で着々と成長しています。でも、もしも運悪く、自分を成長させてくれない上司だったら……。Aさんはきっとここは自分にふさわしい職場ではないと感じ、次のステップを模索することでしょう。

一方、大手企業の総合職であるBさんの発言も印象に残っている言葉の1つです。「会社のためだけに自分の時間を全て使うのは嫌だ。若いうちにたくさん旅行をして、いろいろな世界に触れたいので、きちんと休暇が取れる会社を選びました」。

これはこれで、彼らのタイパ感を感じられる発言です。そう、**若い時にしかできないこともたくさんある。それはもちろん、仕事だけでなく、プライベートにおいても同様**なのです。

だからこそBさんはきちんとプライベートな時間を確保できる仕事を選んだのでしょう。

彼らの言葉からは端々に、Z世代らしい価値観を感じることができます。何度も言いますが、これはマネジメント層世代とは大きく異なるもの。**「何を考えているか分からない」のではなく、こちら側から歩み寄る、理解することが必要**なのです。

では、こんな価値観を持つZ世代にマネジメント層は、どう指導や教育をしていくべきなのでしょうか。

09

マズローの欲求階層説から考える令和の教え方とは

皆さんはマズローの欲求階層説をご存じですか？

これは、人間の欲求は「生理的欲求」「安全の欲求」「社会的欲求」「承認欲求」「自己実現の欲求」の5つの階層に分かれているという理論です。

これら5つの欲求は、ピラミッド状になっており、一番下にあるのが生理的欲求、次が安全の欲求、その上に社会的欲求、承認欲求と続き、一番上にあるのが自己実現の欲求となります。マズローによれば、これらの欲求は、1つ下の階層にある欲求が満たされることで、次の階層の欲求を求めるようになるのだそう。

つまり、まず生理的欲求が満たされれば、次に求めるのが安全、そこをクリアしてようやく、社会的欲求に目線が行くという具合です。

そう言えば、最近の若者の特徴としてよく挙げられるのが承認欲求ですね。SNSが流行する理由の1つとしても、よく取り上げられるキーワードです。

現代社会において、生理的欲求から社会的欲求まではおおよそ満たされているという前提の下、**今、令和時代に求められているのは、承認欲求や自己実現の欲求をいかに満たしていくかということ**なのです。

そこで私が提案したい令和の教え方があります。

それは**「不安を見える化して、伴走者として解決」すること。**

これまで何度か、上司から部下への適切なサポートが欠かせないとお伝えしてきましたが、その要点がここに詰まっています。

Z世代の若者たちは、承認されたい、自己実現をしたいと考えています。ではそれを阻害するものは何か。それは彼らが抱える不安です。経済的不安や、社会が不透明であることへの漠然とした不安など、不安の種類は多様でしょう。

仕事においては、〝本当にこのやり方で間違っていないかな〟〝自分の考え方におかしなところはないかな〟〝こんなことをして叱られないかな〟といった心に生じる不安ではないでしょうか。

これらの不安には、日々発生する小さなものもあれば、常に付きまとう大きなものもあるでしょう。

そこで上司がすべきことこそ、**Z世代が持つ小さな不安の種を1つずつ可視化し、何が不安にさせるのか、どうすることでその不安を解消することができるのかを共に考え、そっと寄り添いながら解決していくこと**なのです。

これこそが、私が考える令和の上司に求められていること。今、マネジメント層がすべきことでしょう。

10 平成と令和の教え方にある3つの違い

先ほど、私なりの令和の教え方を提案させていただきました。

でも、一口にZ世代と言っても、その中には平成世代と令和世代が含まれています。**平成世代とは平成時代に社会人になった人たち、令和世代は令和時代に入ってから社会人になった人たち**と仮定しましょう。

では、マネジメント層から見ると、それほど大きなギャップがあるようには見えないこの2つの世代に対しても、教え方の違いがあるのでしょうか。

ここでは、私がかつて教壇に立っていた平成の中頃を思い出しつつ、考えてみたいと思います。

1　平成世代は「これをやっておいて」で良かったが、令和世代は目的を伝えなければ育たない

まず感じているのは、指示の出し方の違いです。**平成世代はこちらが出した指示を忠実にやることができる世代**です。そこに多少の疑問があっても、〝まぁ、いっか〟と半ばあきらめモードで手を動かします。昭和世代のように〝上司の命令は絶対〟という積極的な捉え方ではなく、あきらめモードなのが特徴ですね。

とは言え、「これをやっておいて」の言葉だけで、ある程度自ら動くことができるのが平成世代でしょう。

しかし、令和世代は違います。彼らはなにせ、コスパとタイパ。この業務に何の意味があるのか、どうしてこれが必要なのか、そしてなぜあなたにお願いするのかを伝えなければ、〝無駄なことをさせられている〟という気持ちが強く働いてしまいます。これはやがて、承認欲求や自己実現の欲求が満たされない不安というかたちで、彼らの心に蓄積し、マネジメント層から見て、「何を考えているか分からない」Z世代というレッテルを貼られて

しまうことにつながるのです。詳しくは第2章以降でお伝えしますが、**令和世代へは目的を伝えなければいけない**という点を心に留めておいてください。

2　平成世代は褒めてほしい、叱られ慣れていない令和世代は共感してほしい

かつてよく言われたのは、平成世代が承認欲求を強く持っているということ。**自分を認めて、〝褒めてほしい〟と思うのが平成世代だという論調**です。SNSの流行などを当てはめ、このように主張する有識者も多いでしょう。

この論調が100%正解かどうかは別ですが、たしかに**人は褒められることで自分の能力に自信が持てるようになり、より高いステップを目指せる生き物**です。褒めて伸ばす、平成世代の育て方はこのような価値観から生まれたものなのでしょう。

では、令和世代はどうか。彼らが求める承認欲求は、平成世代とは少し異なっています。仕事でも日常でも、あまり叱られることのない環境で育っている令和世代は、褒められることに大きな喜びを感じない世代なのかもしれません。どちらかと言えば、褒められる

のは当たり前。それよりも**彼らが強く求めるのは、自分に〝共感してほしい〟ということ。**「よく頑張ったね」ではなく、「その考えすごくよく分かる」「そうだよね、私も同感」といった**共感こそが、彼らにとって、自分が相手に承認されている証**なのです。

これを職場に当てはめると、平成世代には依頼した業務が出来上がってきた際に「さすが、よくできているね、ありがとう」という言葉をかけることで、彼らのモチベーションを維持・向上させられます。一方、令和世代には出来上がってきた成果物に対し、「この分析には同感だね」「このレポートの形式、私もこの方法が良いと思う」といった声かけが有効だということになります。

どうでしょうか、少し違いを感じていただけましたか。

3　知識や経験がない相手にコーチングをしても意味がない、まずティーチングが重要だ

そしてもう1つ、**平成世代を指導する中でよく聞かれた言葉が「コーチング」**でしょう。コーチングを勧める書籍も多数ありましたし、コーチング研修もしばしば見かけましたね。でも、本当にコーチングで良いのでしょうか。

私は、仕事においてまだ知識も経験もない**令和世代には、コーチングをする前に、適切な「ティーチング」が必要**だと考えています。まずは仕事における適切な考え方ややり方、動き方をしっかりと教えることで、令和世代はその意図、プロセス、効率的な正解を認識し、スタートラインに立つことができるのではないでしょうか。

前述した通り、彼らは情報収集が得意です。この段階でしっかりと教えておくことは、彼らの情報になり、その上で、彼ら自身が自分の意見を持ち、発信していく。この流れこそ、令和世代の指導・教育の重要なポイントなのです。ここでもあえてお伝えしておくと、**適切なティーチングにももちろん、スキルが必要**です。

そう、何度も繰り返していますが、指導・教育をするマネジメント層がこのスキルをしっかりと身に付けていなければ、名ばかりのコーチングは逆効果にしかなりません。

11

AIとIoTの時代には、人間にしかできない〝教える力〟が評価に直結する

さてここで、話をマネジメント層側に移しましょう。部下はZ世代であり、それを指導・教育するのが自分の役割だ。彼らの価値観は我々とは大きく異なるし、平成世代と令和世代が異なることも分かった。では、**あなた自身は何をモチベーションに彼らの指導・教育をするのでしょうか。**

先日来、ChatGPTや画像生成AIといった、AIに関する技術・サービスが話題になっています。ChatGPTはテストの回答をしてくれたり、物語をつくってくれたり、プログラミングのためのコードを提示してくれたり……これまで人にしかできないと思われていた物事をいとも簡単に成し遂げてくれます。

このようなAIやIoTの技術がますます発展すれば、極論、部下の指導やマネジメン

トだってしてくれるかもしれません。と言いたいところですが、残念ながら、その可能性は高くないでしょう。**人を指導・教育することは、AI学習のようにパターン化できるものではなく、1人ひとりに合った方法が必要であり、人間同士だからこそ成立するもの**なのです。

また、人と人との相性で生まれるものも多々あります。**日々の業務や雑務はAIやロボットにとって代わられても、〝教える力〟は人間にしかないもの**だと私は信じているのです。

これから先、あなたは従来のようにこなした業務の量や結果では評価されなくなるかもしれません。人はミスをする可能性がありますが、AIはミスをせず、うまくいく可能性が高い方を選択することができます。

では、**あなたはどのように評価されるのか。それこそが、部下を指導・教育する〝教える力〟**ではないかと、私は考えています。

さぁ、今のあなたは〝教える力〟に自信を持てていますか。高い評価を得られるリーダーになれていますか。

12

令和式教え方の5ステップとは

ここまでいろいろとお話ししてきましたが、いよいよ本題が近づいてきました。
では、令和の時代はどう部下を指導・教育すれば良いのか。
私はそのステップを次のように捉えています。

関係づくり→基本→フォロー→継続→仕組みづくり

各ステップの詳細は、この後、第2章でお伝えします。

STUDY 2

教え育てることのスタートは、令和も良い関係をつくることから

13

令和は多様性の時代、個性を尊重できない上司は今どき部下に失望される

第1章では、Z世代や令和世代と言われる今どきの若者の特徴や考え方について、私なりにお伝えしました。

ここからはいよいよ本題、彼らを指導・教育し成長させていくためにすべきことについてお話ししていきます。

教え育てることのスタートラインは、令和だからと言って大きく変化するわけではありません。**第一歩はいつでも、関係性づくりから。良い関係性を持ててこそ、次のステップに入れる**のです。

ここで皆さん、かつて社会人になりたてだった頃の自分や同僚たちを思い出してみてく

ださい。

男性の場合は、ダークカラーのスーツに白いシャツ、ヘアスタイルは黒髪短髪の人がほとんどだったのではないでしょうか。女性の場合、就職活動時には、最近でも良く話題に上るベージュのトレンチコートがお決まりのスタイルでしたね。

私の周りでも「少し明るい色のシャツを着て行ったら、上司から『今日は派手だな、社会人は白シャツだろう』と言われた」なんていう話を耳にすることがよくありました。

では今はどうでしょうか。もちろん最低限のTPOはあるものの、若手社員の服装やヘアスタイルも随分と自由になってきていますね。

これは何も見た目だけの話ではありません。

令和は多様性の時代です。国籍や性別などといった大きな枠組みだけでなく、個人のスタイルや考え方も多様であるのが当たり前という考え方が主流になっています。

社会人だから白シャツといったような固定観念も、この時代には当てはまらなくなってきている、あるいは〝この考えは、旧来の固定観念ではないか〟と改めて考え直さなくてはならない時代なのです。

多様性と言うと、とても大きな概念のように捉えられてしまうかもしれませんが、分かりやすく言えば、個性。**誰もが持つ個性を発揮することが当たり前の世界が来ている**ということを、我々はしっかりと認識しなくてはいけません。

これは会社においても、同じです。上司が自分の固定観念で、部下である若者たちを締め付けてしまえば、彼らはそんな上司や会社に失望してしまいます。**Z世代の若者たちと良好な関係性を構築するためにはまず、彼らの個性を理解、尊重し、認めることが大前提**だと、肝に銘じましょう。

14

のんびり見えて「隠れ負けず嫌い」なZ世代、「みんなやってきたから」の比較はNG

個性を重視し、自己実現を目指すZ世代と言うと、〝あまり他者のことを気にしない〟というイメージを持ちがちです。

しかし私は、**彼らは「隠れ負けず嫌い」**なのではないかと考えています。他者を気にせず、自分のペースで物事を進めているように見えて、実は我々が思っている以上に、**他者と比べられたくない、負けたくないという意識が働いているのが、Z世代の若者たち**なのです。

そんな彼らと良い関係を結ぶために必要なのが、**不用意に他者との比較をするような発言をしないこと**。その一例が「みんなやってきたから」という言葉です。よく使っているという自覚がある人も多いのではないでしょうか。

なぜ新入社員は朝早く出社するのか？「みんなやってきたから」。この書類はどうしてつくらなくてはいけないのか？「みんなやってきたから」。

Z世代の若者からすると、この言葉は、上司や先輩、同僚が当たり前のようにやっていることだから、〝あなたも当然やるべきでしょう〟というニュアンスに聞こえてしまいます。

第1章でも触れましたが、仕事の目的や意味を理解することに重きを置いているZ世代にとって、他者がやってきたことだからという理由で、疑いなく発生する物事は理解不能、指示を出す上司への不信感にもつながってしまうかもしれません。

改めてお伝えします。**Z世代は目的や意味を重視します。「何のためにそれをやるのか」という目的を伝えないとZ世代は動かない**のです。

新入社員が朝早く出社をするのは、「みんなやってきたから」ではなく、出社してくる人に挨拶をし、より多くの職場の人とコミュニケーションを取るため。

マネジメント層はそこに本来ある意図をきちんと説明する癖を付けるべき時がやってきたのです。

15 Z世代は厳しい上下関係に慣れていない、礼儀はまず元気な挨拶と返事だけ教える

次に私が考える**Z世代との関係づくりのポイントは、上下関係**です。会社という組織の特性上、上下関係があることは致し方ありません。問題はそこで発生する諸々の〝面倒なこと〟。皆さんも心当たりがあるのではないでしょうか。例えば、上座がどこかといった社会常識的なものから、それぞれの企業で受け継がれている独自ルールまで、上下関係があるがために身に付けなければならないさまざまなことをまず学ぶことが、社会人の第一歩であったという人も多いでしょう。

しかし、**Z世代の若者たちは、これまでの人生でストイックな上下関係のある場所に所属した経験がない場合がほとんど**です。社会人になったからと言って、突然厳しい上下関係に慣れ、かつうまく振る舞うことを求めるのはあまりにも酷なことだと思いませんか。

そこで私はまず、マネジメント層からZ世代への指導・教育は、**相手の目を見て、元気な挨拶と返事をできるようにすることからスタートする**ようお薦めしています。これなら上下関係に不慣れな若者にも今すぐできますし、上の立場の人から見た場合も、〝無礼〟になることはありません。

誰に会った時でも元気に挨拶をする、何か言われた際は元気に返事をするなんて、小学生じゃあるまいし……なんて思った人もいるかもしれませんが、ある意味では、そんなところからZ世代の指導・教育は必要だということ。

教え育てることは、小さな物事の積み重ねなのです。

16

挨拶は相手の目を見て大きな声で、当たり前のことを当たり前に継続する

しつこいようですが、もう少し挨拶の話を続けましょう。

Z世代に教える挨拶の基本は、相手の目を見て、大きな声で。実に当たり前のことですが、こうしてお伝えしているのには理由があります。

私が企業に何度か訪問させていただく際、入社したての若者は私と目を合わせて大きな声で「おはようございます」と挨拶してくれます。しかし2～3か月ほど経つと、「おざまーす」とでも言うような適当な挨拶になり、さらに時間が経過すると、目も合わせず会釈だけの形式的な挨拶をするようになる傾向を感じています。

仕事に慣れたからといって、挨拶をおざなりにして良いわけではないはずなのに、なぜかこの傾向は多くの会社で見受けられるのです。

私が考えるに、その原因は上司や先輩にあります。新入社員がいくらしっかりと挨拶をしていても、先輩はしていない、上司は挨拶を返してくれないといった環境では、挨拶は根付きません。たかが挨拶、されど挨拶。**マネジメント層の皆さんも、当たり前のことを当たり前に継続することの大切さを、挨拶から学び直しましょう。**

また、社会人は学生と違い、数十年間の長期戦になります。**嫌なことがあっても、機嫌が悪くても、当たり前のことを当たり前に継続できるよう、マネジメント層がしっかりと指導をし続ける必要がある**こともお伝えしておきます。

17 朝礼時は頬の筋肉を真上に上げて笑顔を絶やさない

挨拶と同じく、**マネジメント層に心がけてほしいことが、朝礼時の笑顔**です。

朝礼は経営層のメッセージ発信の場になったり、情報共有の場になったりと、各企業でその意義は異なります。しかし、せっかく毎朝、共に働く人たちと会することができる場であることに変わりはありません。

そんな時、むすっとした顔をして立っているよりは、にこやかな方が印象が良いのは当然でしょう。頬の筋肉を真上に上げて、笑顔を絶やさないことを意識するだけで、上司や同僚との関係性が一段、近くなる。単純だけど大きな効果をもたらす作戦の1つです。

「朝礼時は我々(上司)も笑顔を意識するので、みんな(部下)にも意識してもらい、お互い気持ち良く1日をスタートさせよう」と目的を伝えた上で、定義付けをしっかりとし、ルールを決め、**上司も部下もきちんと実践していきましょう。**

それが習慣となり、やがて**朝礼時の笑顔が会社の文化の1つになっていくことが理想的**です。

18

Z世代は共感重視、自己紹介は“えげつない失敗談”を話す

さて、Z世代との関係を深める上で欠かせないのがお互いを良く知ること。ここではそのファーストステップであるマネジメント層からZ世代への自己紹介についてお話しします。

「自己紹介をしてください」と言われてありがちなのが、名前と所属、従事している業務を言い、最後に申し訳程度に趣味や特技を伝えるというパターンです。

この形式の自己紹介をこれまで幾度となく聞いてきましたが、正直印象に残っているものはあまり多くありませんし、質問をしてみたくなるような話題が出てくることも稀でした。皆さんもおそらく同じではないでしょうか。

では、どんな自己紹介をすれば、印象を残すことができるのか。そしてさらに、良い関

係性をつくる土台とできるのか。

今回**私がお薦めするのは、〝えげつない失敗談〟を含めた自己紹介**です。

仕事上でもプライベートでも構いませんので、自分の人生における失敗を、程度のひどいものから順に3つ思い浮かべてください。そしてその要点を付箋に書き出します。

例えば、〝入社初日にコピー機を壊した〟とか、〝上司だと気付かずに、『いらっしゃいませ』と言ってしまった〟とか、〝スマホと間違えて、テレビのリモコンを持ってきた〟とか。私の知人には〝会社に着いてコートを脱いだら、中はスウェットのままだった〟というエピソードを持つ強者もいます。

えげつなさ具合はそれぞれにお任せしますが、**ここで重要なのは、自己紹介を聞くZ世代の若者が「おぉ、やばい」と思ってくれること**。

彼らは共感を重視する世代です。これから共に働く上司への共感を抱くきっかけとなるような、相手の記憶に残る自己紹介をすることで、距離を縮めるチャンスを掴みましょう。

19

「休みは何してる?」はプライベートを尋ねる初歩、個性を認めるのが令和的人間関係

最近、企業のマネジメント層の方とお話をすると、よくこんな声を聞きます。

「コンプライアンスやハラスメントが気になって、部下にプライベートのことを聞きづらい」。

たしかに、プライベートなことに触れられたくないという人は増えているように感じます。しかし、人と人とが関係性を築く際、プライベートについて一切知らない、聞かないという関係は健全なものだと言えるのでしょうか。

私は、相手がはっきりと拒否をしない限り、やはり**ある程度親しみのある話題に触れられる関係性こそが、良い関係性**だと考えています。

そこで提案したいのが、**マネジメント層側が積極的に自身のプライベートについても話**

をすること。そして、その延長戦上で、部下にも「休みは何してる？」と問いかけることです。

いきなり相手にだけプライベートを語れと言うのではなく、まずは自分が話す意思を見せ、〝あなたのことも知りたい〟という気持ち、良い関係性をつくっていきたいという思いを伝えることで、より深い関係性を築く一歩となるでしょう。

ここでも**ポイントは、Z世代が重視する個性と共感。**

例えば、部下が「休みの日はずっとゲームをしています」と答えたとして、「え、何それ、時間もったいなくない？」なんて返事をしたら、部下はどんな気持ちになるでしょうか。〝私が何をしていようと、関係ないでしょ〟と思ってしまいませんか。

しかし、「そうなんだ、ゲームが好きなんだね。どんなゲームをしているの？」と答えれば、部下の個性を認めていることを示しつつ、さらに興味関心のあることを引き出すことが可能です。

人は往々にして、自分の価値観の中で物事を判断してしまいがちです。もちろんそれも誤りではありません。

しかし今は令和。価値観は多様化し、特に若者の価値観は、マネジメント層とは大きく異なっていることを念頭に置いた対応が求められています。

部下がどのようなプライベートを過ごしていても、それがその人の個性だと捉え、認めること。これこそが令和的人間関係なのです。

20

話をした内容は〝手書き〟でメモを取ると、「大事にしてもらえている」と感じる

次にお話しするのは、**話をした内容を手書きでメモを取るということ**についてです。

これは、Z世代の若者たちにしてもらいたいこと、つまり彼らに指導・教育すべきことではなく、**マネジメント層が行うべきことだという点が重要**です。

よくこんな話を聞きます。

「最近の若者は何でもかんでもスマホ。こちらの指示をメモするわけでもなく、人によっては、スマホで写真を撮ってメモ代わりにするなんていうことを会社でやる。ちゃんと人の話を聞いているのかも分からない」。

このセリフは言うまでもなく、マネジメント層側の発言です。ではその逆、**部下が話を**

する際、マネジメント層はその内容をメモしていますか。

こう聞くと、ほとんどの人は「していない」と答えるでしょう。

なぜ、相手には求めるのに、自分はしていないのでしょうか。

自分が上司で、相手が部下だから？　でも上司はメモを取らない、部下はメモを取るべきだというルールはないはずです。

部下と話をしている時、自分の発言をメモしないことについては〝ないがしろにしているのではないか〟という疑念を抱くのに、相手の発言はメモなしでもきちんと聞いているという姿勢が示せているということ？　不思議な話ですね。

部下である若者世代と良好な関係を築きたいと考えるのであれば、**自分がやられて嫌なことはすべきではなく、自分がしてほしいと思っていることは、相手に対しても行うべき**ではないでしょうか。

それが私が考える、話をした内容を手書きでメモを取るということなのです。

スマホではなく、手書きでメモを取り、相手の話をきちんと聞いていますよというメッセージを送る。話をした相手はその姿を見て、〝自分はこの人に大事にしてもらえている〟と感じ、人と人とのつながりを持ちたいという気持ちになる。これも、Z世代との良好な関係づくりをする上で、重要なポイントだと言えるでしょう。

21

「相手が3割動いてくれれば御の字」だと思っておけばストレスは軽減される

マネジメント層にとって、最もストレスになるのは、相手が思い通りに動いてくれないことではないでしょうか。人によっては、「やらせるよりも、自分でやった方が早い」というスタンスの人もいるほどです。

しかし、それでは部下は成長しないというジレンマもありますね。**人を思い通りに動かすことが難しいのは当然**です。家族ですらそうできないのですから、育ってきた環境も考えも異なる部下が、何もしなくても思い通りに動いてくれるわけがありません。

ではそんな時、どう対応すれば良いのか。

私は常々、**〝相手が自分の期待する動きの3割をしてくれれば、御の字、十分だ〟**と考

えるようにしています。5割動いてくれれば、万歳をして喜んでも良いくらいかもしれません。相手が変わることを期待するよりも、自分の考え方を変えることで、ストレスを軽減することができます。

時に、**相手に求めるよりもまず、自分を振り返り、自分を変えていくことも、これからのマネジメント層に求められるスキル**なのかもしれません。

22

見た目を侮るなかれ、第一印象で憧れられなければ部下はついてこない

第2章の最後に皆さんにお伝えしたいことは、これまで部下に教えるべきことが最低限だったのと同様、とても基本的なことになります。それは、**身だしなみ**です。

なんだそんなことかと拍子抜けした方もいらっしゃるかもしれませんが、意外な盲点、そう言われてみると、あまり身だしなみに気を配っていないかもしれないと心配になる方もいるでしょう。

どんな人であれ、**〝この人は素敵だな〟と思える人とこそ、関係性を築いていきたいと考えるもの**です。清潔感のある髪形や服装、きちんとケアされている持ち物……当たり前のようでいて、これらを維持するためには、一定の労力が必要。**そこに目が配れているかどうか、部下は見ているのです。**

ということで、本章の最後には身だしなみをチェックできる項目をいくつかご紹介します。部下との良好な関係性を築くための第一歩として、まずは自分自身を改めて振り返ってみてください。

髪形

□ナチュラルな髪色で、艶があるか
□ビジネスシーンを意識し、清潔感を演出しているか

顔

□素肌に艶があるか
□顔色や表情が良く、疲れを感じさせない風貌であるか
□男性の場合、きれいに髭を剃り、輪郭がはっきり見えていてスッキリした印象であるか
□女性の場合、すっきりとした知性を感じさせる自然なメイクか

手

□手は常に人目にさらされる箇所であることを意識しているか
□爪は清潔で切り揃えてあるか

服装
□スーツは身体にマッチして、自分に似合っている色や形であるか
□季節に合った素材であるか
□ロッカーに予備のジャケットを常備してあるか

足元
□TPOに合わせた靴を複数用意してあるか（ローテーション用・フォーマル用があれば理想的）
□上質の、良く手入れをされた靴を履いているか
□シューキーパー・乾燥剤で型崩れや臭いを防止しているか
□靴をこまめに磨き、靴紐や皮、ヒールなどが傷んでいないか確認をしているか
□靴や靴下、ストッキングの色は、スーツの色とマッチしているか

香り

□体臭、口臭の有無に気を遣っているか

□臭いに対して、適切なケアをできているか

□整髪料や香水などを使用する場合、香害にならないように気を付けているか

カバン・財布・時計など

□機能性と耐久性に優れた上質なカバンで、きちんと手入れしているか

□詰め込み過ぎていないか

□手帳・名刺入れ・筆記用具がすぐに取り出せる状態か

□カバンは机の上や会議のテーブル上に置かないように注意しているか

□財布はきちんと手入れ・整理されているか

□時計やアクセサリーは主張し過ぎず、服装にマッチしているか

□スマートフォンのカバーはビジネスシーンにマッチするデザインか

※（株）ポールスターコミュニケーションズ　研修講師　岩野晶子氏作成

STUDY 3

これさえ
知っていれば
怖いものなし、
令和式教え方の
キホン

23

「察しろ」は無理、一から十まで教える〝丁寧さ〟がないと部下は動かない

第2章では若者たちと良い関係性をつくるためのコツをお教えしました。ここからはいよいよ、彼らをどう指導・教育していくべきか考えていきたいと思います。

その1つ目として、私がお伝えしたいのは、**丁寧な指導・教育の重要性**です。

かつて日本では「背中を見て学べ」「習うより慣れろ」といった指導方法が一般的でした。皆さんの多くも、そのようなかたちで仕事のスキルや技術を身に付けてきたのではないでしょうか。

では今、それが通用するかと言うと、そうではありません。令和時代を生きる若者たちには、先輩たちの姿から学ぶという考えはないのです。彼らが特に苦手としているのが、「察する」こと。**マネジメント層は〝見ていたら、雰囲気で分かるだろう〟と思いがちで**

すが、その考えは改めるべきでしょう。

であれば、どのようにするのが良いのか。

それは**一から十まで丁寧に指導・教育すること**だと、私は考えています。

第1章でもお伝えした通り、Z世代の若者たちはうまく教えれば大きな戦力になる若者たちなのです。だからこそ、教え方が肝心。書類を1つつくるにしろ、作成の目的は何なのか、事前に何を用意すべきなのか、まず何をどう進めれば良いのか、気を付ける点はどこなのかといった仔細をきちんと伝え、彼らがその手順に慣れるまで、何度も繰り返し、最も〝正しく〟、最も〝効率的な〟方法を伝え続けなければいけません。

ここで大切なのは、前述の通り、〝見ていたら、雰囲気で分かるだろう〟という考えを捨てること。**マネジメント層側がZ世代の考えに歩み寄り、丁寧に指導・教育をすることが必要**だということを強く意識してください。

24

自分が知っていることを相手も知っていると思うな

そしてもう1つ、**マネジメント層がZ世代を指導・教育する際に陥りがちなのが、〝これくらいは知っているだろう〟という思い込みを持って接してしまうこと。**

経理の書類なんだから、計算を間違ってはいけないことは当たり前。〝これくらいは知っているだろう〟。営業なんだから、クライアントの要望にできるだけ応えるのは当たり前。〝これくらいは知っているだろう〟。

極端に言えば、**このレベルの〝当たり前〟であっても、Z世代にはその目的やルール、やり方を丁寧に指導・教育する必要がある**のです。

企業のマネジメント層の方とお話をする際、私はよく、「自分が知っていることを相手も知っていると思わないでください」とお伝えしています。

人は経験を重ねれば重ねるほど、初心を忘れがちです。皆さんも社会人になりたての頃を思い出してください。上司が当たり前のようにやっていたことに疑問を持ったり、理解できなかったりしたことはありませんか。

もっと言ってしまうと、〝なんだこれ、意味が分からん〟と思ったこともあるのではないでしょうか。

皆さんが若手だった頃に感じた疑問や違和感は、時間の経過とともに、当たり前のことになっていったはずです。

もちろん、Z世代の若者たちもやがていろいろなことが〝当たり前〟になっていくでしょう。ただし**彼らは、その過程で生まれる疑問や違和感を我慢する世代ではありません。**これらが不満になり、やがて離職を招いてしまう前に、マネジメント層はきちんと疑問や違和感の種を解消しておくことを心がけましょう。

よく言われることではありますが、**自分の常識は他人の非常識。**このことを常に念頭に置く癖を付けてください。

25

最初に伝えるのは3つまでに絞り、簡潔に伝える

さて、皆さんは部下に指示を出す際、どのように声をかけていますか。あるいは、指示を出す際に、どのようなことを意識していますか。

そう尋ねると、多くの人は自分がどう指示を出しているのか、「あまり考えていない」とお答えになります。どんな業務においても、**指示出しは指導・教育の始点であるはずなのに、深く意識できていないのは非常にもったいない**ことですね。

ここでは、私の考える指示出しのコツをお教えします。

それは、**最初に伝えることを3つまでにし、簡潔に伝える**といういたってシンプルなこと。クライアントに提案する企画書をつくる際の指示出しを例に考えてみましょう。

「明日は10時にA社に訪問か。企画書がいるなぁ。あそこは派手な企画が好きだから、ぱっと目を引くようなやつを頼むよ。たしか、前はホールを貸し切ってのイベントが好評だったような気がするなぁ。あと、ライバルのB社の後追いは嫌がるから気を付けて。そうそう、明日先方は3人だと思うよ」。

皆さん、こんな指示出しをしていませんか。

そもそもこの指示出しは「企画書をつくり、持参するためにプリントアウトをする」ということを一度も明確にしていません。

もちろんベテランになれば、このような指示で〝察する〟ことができるでしょうが、新入社員や若手社員にはそこまでの理解力はありません。

この指示出しを、私がする場合はこうです。

「明日A社に提案する企画書をつくってほしい。〇〇ホールを使う、500名程度の大型企画にしてください。先方3名分の資料をあらかじめ印刷し、製本するところまでお願いします」。

このフレーズにはやってほしいことと、そのゴールが明確に入っています。そして、〝派手さ具合〟は個人の主観で判断しがちなので、私（つまり上司側）が思っているレベル感を明確に伝えています。

このような指示出しであれば、Z世代の若者たちは、何をすべきなのか、何が求められているのかを理解することができるでしょう。

また、最初に伝えるのは3つまでとしているのは、**指示を受けた側が適切に意識、理解できる範囲であり、ゴールが見えやすい**からです。

一度にたくさんのことを言われて混乱するのは、誰でも同じ。特に経験のない若手世代には、大きな負担になります。

また、経験の少ない業務であればあるほど、小さな成果を積み重ねることがやる気につながります。そのため、**業務のゴールを想像しやすいよう、マネジメント層側が意識的にコントロールすることが大切**なのです。

では最初にこのような指示出しをすれば、Z世代はすぐにマスターしてくれるのでしょうか。残念ながら、指導・教育はそれほど単純ではありません。

26

Z世代はメモを取らない？ 当たり前のことをしつこく教え続ける

適切な指示出しをしたとしても、人は一度では完璧にはできません。正しいやり方を身に付けるまで、何度も繰り返し、指導・教育することが必要です。特に、デジタルネイティブであるZ世代は、メモを取ることをあまりしません。つまり、業務に取り組んでいる際、疑問が生じたり、やり方に迷ったりした時に、振り返るものがないのです。

そんな時、かつてであれば、よくこんなフレーズを聞きましたね。「前に教えただろう、なんで覚えていないんだ」。これはもちろん、現在ではNGな発言です。

ここで**重要なのは、マネジメントする側が、彼らを〝時間をかけて育てていくんだ〟という覚悟**。子どもに箸の持ち方を教えたり、文字の書き方を教えたりするのと同じで、**我々からすれば当たり前のことでも、何度も繰り返し、しつこいほど、丁寧に指導・教育していきましょう。**

27

令和は共感がエネルギー、新しいことをやるときはストーリーで伝える

ここで少し別の角度から、Z世代への指示出しについてもう一度、考えてみたいと思います。

皆さんは全く新しいことにチャレンジする際、どんなところに魅力やモチベーションを感じますか。物事の大きさや派手さ、金銭的報酬の多さといったことや、やりがい、受け手の反応など、人によってエネルギーとなる要素はさまざまでしょう。

では、Z世代の場合はどんなものがエネルギーになり得るのでしょうか。

ここでの**キーワードは令和ならではの〝共感〟**です。令和世代には共感が重要だということは、第1章でもお伝えしました。彼らは共感すること、してもらうことに価値を置い

ています。

そこで、**Z世代に指示出しをする場合は、この〝共感〟をうまく利用することをお薦めします。**

では、どう使うのか。私なりの考えでは、**新しいことにチャレンジする際、その意義や目的、求めることをストーリーで伝えるという方法がある**と思っています。

ストーリーマーケティングやストーリーテリングといったマーケティング手法をご存じですか。この手法は商品やサービスの特徴を物語の中で紹介することで、共感を呼ぶと言われています。

例えば、缶コーヒーのCMでただ商品のビジュアルを見せ、味の説明をするよりも、疲れているように見えるビジネスパーソンがふと公園に立ち寄り、ベンチでコーヒーを飲む、そして軽やかな足取りで去っていくといった物語を見せた方が、〝疲れが吹き飛ぶ、癒される味なんだな〟ということがよく伝わる、といったことですね。

これをZ世代への指示出しに活用してみると、どうなるのでしょうか。

Z世代向けの商品を開発することを例に、考えてみましょう。

Z世代はコロナ禍で、これまで当たり前だった対面でのコミュニケーションや、多くの人との出会いの機会を失ってしまった。彼らはみんなで楽しむ時間を過ごしたかっただろう。では今、日常を取り戻しつつある時に、彼らはどんな気持ちだろうか。大勢でわいわいしたい？ そんな時にどんなアイテムがあれば、より楽しい時間を過ごせるだろうか。そこで使えるようなアイテムには何があるだろう。

これをストーリーに落とし込んでみましょう。

自室でヘッドフォンをして、パソコンの画面の中にいる友人と会話をしている生活。それが終わり、晴天の下、友人と街を歩く。視線の先には、大勢の友人が手を振っている。そんなシーンで彼らが手にしているのはどんなアイテムだろうか。

Z世代の若者たちはこのストーリーの中で、自分を主人公に当てはめてみることでしょう。その時〝友人に会えない生活はさみしかっただろうな〟とか、〝青空の下で友人と話すだけで、私も楽しい気持ちになるな〟といった共感を持つかもしれません。

このようなストーリーを見せることで、彼らは共感し、新たなアイデアを生み出すヒントを見つけることができるのです。

今回の例は少し極端ではありますが、マネジメント層の皆さんに知ってほしいのは、**Z世代のキーワードである共感をいかに生み出すべきか**という点。

かつてのように、「何か新しいことを考えて」と言うだけでなく、共感を誘う伝え方を考えることの大切さを、少しでも知っていただければと思います。

28

仕事を任せるときは、PREPで話の大枠をつくる

では、話を変え、ここからは部下に仕事を任せる際の伝え方について考えていきます。

仕事を任せる時、たいていの人は「自分でやった方が早いし、正確にできる」「めんどくさいな」と思うでしょう。しかし、仕事を任せていかなければ、部下は育っていきません。

それでは、部下に仕事を任せる際、どのような伝え方をすべきでしょうか。

ここでポイントになるのはＰＲＥＰ法です。これは分かりやすく、説得力のある文章をつくる方法として、広く知られています。**ＰＲＥＰ法の基本は、「Ｐ＝結論、Ｒ＝理由、Ｅ＝具体例、Ｐ＝結論」という順番で伝えること。**

例えば、これまで上司が担当していたクライアントを部下に引き継ぐ際には、このような伝え方が考えられます。

P（結論）：A社をあなたに引き継ぐことにします。

R（理由）：これまで小規模のクライアントで十分経験を積んできているので、A社のような大きなクライアントを担当することで、さらに仕事の幅を広げてほしいと考えているからです。

E（具体例）：A社は自社商品を購入してくれているだけでなく、イベント運営を任されたり、新規開拓を一緒に行ったりするお付き合いがあります。来月にはちょうど大きなイベントがあるので、それを私と一緒に経験し、その次の提案からはあなたにお任せします。

P（結論）：こういったかたちで、A社をあなたに引き継ぐことにします。

これまで何度もお伝えしていますが、Z世代への指示出しには簡潔さが重要です。そのため、まずは結論を明確にします。そして、これもまたZ世代が重きを置いている理由付

PREP法とは？

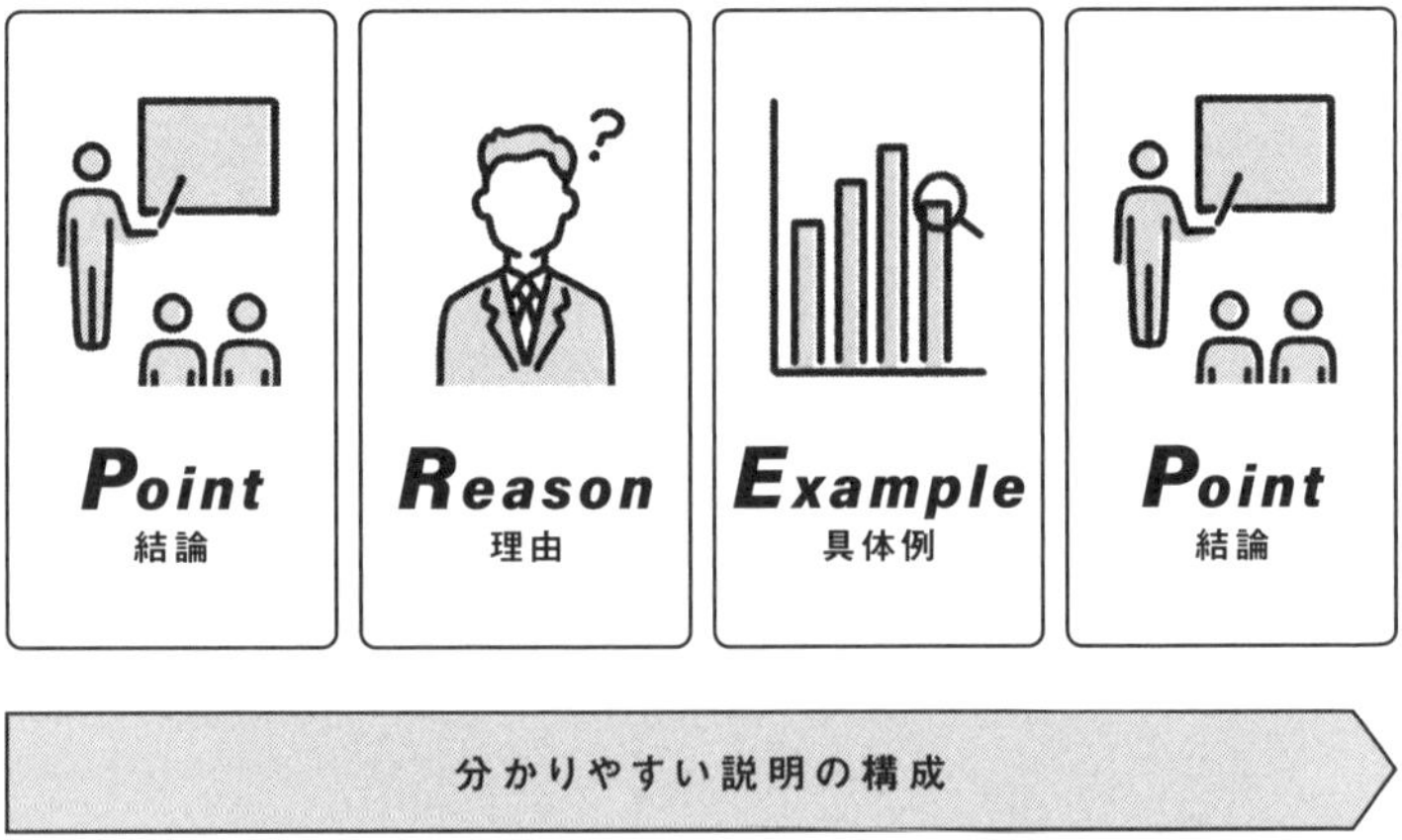

け。さらに具体的なステップがイメージしやすいよう、例を挙げた上で、最後にもう一度結論を強調するという伝え方です。

「A社は任せる」という一言ではなく、〝なぜあなたなのか〟〝どういう行動をしてほしいのか〟を分かりやすく伝えることこそ、Z世代とのコミュニケーションの基本であることを、マネジメント層は改めて認識しましょう。

29 「やるべきこと」と「無駄だと思うこと」を付箋に書き出し優先順位を付ける

次に、Z世代の部下に対し、業務の優先順位付けをさせる場合を考えていきます。優先順位を付けるためにはまず、「やるべきこと」を明確にする必要があります。私が推奨するのは、**「やるべきこと」を付箋に書き出す方法**です。

紙に書くという作業をすることは、自分の頭の中を整理することにもつながります。また、付箋は何度も貼ったりはがしたりできるので、優先順位を付ける際の順序替えが容易であるというメリットもあります。一度決めた優先順位に追加が生じたり、変更が生じたりしても、動かしやすいですからね。

加えて、スケジュール帳などに貼り替えることも可能だという点も、付箋を活用するメリットでしょう。優先順位付けを行う際、はじめのうちは、「企画書をつくる」「10時A社とアポイント」といった大きなタスクだけでなく、「B社へ電話する」「経理部へのメールに返信」といった小さなタスクまで書き出すことで、優先順位付けの癖を付けることができるようになります。

ここでもう1つ、書き出させてほしいものがあります。それが**部下から見て「無駄だと思うこと」**です。

Z世代の若者たちが重視するのは、コスパにタイパ。その考えの中で「無駄だと思うこと」の存在は、彼らのパフォーマンスを下げてしまう要因になります。優先順位付けをさせる際、マネジメント層がより注目すべきは「無駄だと思うこと」の方。**この中で本当に無駄なものは排除し、上司の立場から無駄ではないと判断するものは、その理由とともに、部下に示しましょう。**

そしてここで、**部下はなぜそのタスクを無駄だと思っているのかを聞いてみてください。**理由によっては、〝一理あるな〟と感じるものも出てくるかもしれません。その際**マネジメント層は自身の考えややり方に固執せず、うまく折り合いを付ける方法を考えましょう。**

以前私が聞いた例では、営業の記録を毎日エクセルに入力していた部署が、若手社員から無駄を指摘され、システムを連携させることで自動入力の仕組みをつくったという話がありました。

特にZ世代の若者たちはデジタルネイティブならではのアイデアを持っているので、これまでの方法を踏襲せずとも、よりパフォーマンス良く同じ業務を遂行できるという場合もあります。

30

理解できているか「誰かに指示を出すように言ってみて」と復唱させる

ここまで、Z世代への指示出しについて私なりの考えをお伝えしてきました。ここでは、指示出しがきちんと伝わっているかを検証するコツをお教えします。

それは、**出した指示の内容について部下に、「誰かに指示を出すように言ってみて」と復唱させること**。皆さんにも、人の話を聞いていて、それを誰かに説明しようとしたら、思いのほか理解できていなかったという経験はありませんか。人は自分の言葉で物事を説明することで、より理解を深めることができると同時に、理解できていない部分を認識することができます。

指示された内容について、部下に改めて説明させることで、マネジメント層は部下がどこまで理解できているかを把握することが可能です。ここであやふやな部分があれば、もう一度丁寧に説明し、部下の理解を促しましょう。

31 Z世代のキラーフレーズ「あなたの成長のためだから言うね」と前置きする

このように指示を出し、Z世代を指導・教育していく中では、当然、言いづらいことを指摘しなければならないシーンが出てきます。

教えたことがきちんとできていない、いつの間にかやり方を勝手に変えてしまっている、といったとき、マネジメント層がいきなり「なぜできていないんだ」「言った通りにやっていないじゃないか」と指摘をすると、若手の部下は〝怒られた〟〝嫌われた〟〝評価が下がった〟という印象を強く持ってしまい、その内容を聞き入れる前に、拒否感を示してしまう可能性があります。

そこで**ぜひ使っていただきたいのが、「あなたの成長のためだから言うね」という言葉**です。私はこの言葉をZ世代のキラーフレーズと言っています。

Z世代は自分を成長させてくれる上司を信頼する傾向にあります。また彼らは、自分が大事にしてもらえていると感じると、よりパフォーマンスを発揮できるという特長もあります。だからこそ、このキラーフレーズが活きてくる！

〝あなたのことを考えている〟という意思表示に加え、これから伝えることは〝あなたの成長のため〟なのだということを明確にできるこのフレーズで前置きをするだけで、部下の拒否感を軽減することができます。

32

「個の尊重」をアピールせよ。複数人に伝えるときも全員の目を見て訴えかける

指示出しのシーンとしてもう1つ考えられるのは、マネジメント層1名から複数名の部下に指示を出す場合です。例えば、新人研修などの場面があるでしょう。このようなシーンで皆さんはどのようなことを意識していますか。

まずは大きな声で全員に伝わるようにと考える人も多いでしょう。これはもちろん非常に大切なことです。これに加え、複数名のZ世代向けに指示を出す際、私が意識していることは、**〝個の尊重〟、あなたたち1人ひとりをきちんと見ていますよ、というアピールをすること**です。

Z世代は個性を重視する世代であると同時に、「隠れ負けず嫌い」、他人と比べられるの

を嫌がる傾向にあります。彼らが指示を受ける際、〝どうせみんなに同じことを言ってるんでしょ〟〝この指示は自分だけじゃなく、大勢に出されているものなのだから、それほど大事ではない〟という誤った認識を持たないためにも、〝個の尊重〟がとても重要なのです。

具体的な方法としては、**複数人に指示を伝える際には意識的に、1人ひとりの目を見て、それぞれに訴えかけるように話しましょう。**人数が多ければ多いほど、小さな動作では伝わりづらくなります。

マネジメント層の皆さんはぜひ、少し大げさかなと思うくらい大きな動作でやってみてください。

33
過去を実績として信用しても、今後起こることについては信頼するな

さて、マネジメント層の皆さんは部下に指示を出し、動いてもらうにあたり、部下をどれくらい信じていますか。

誰かに何かをさせるためには相手を100％信じるべきだという人もいれば、基本的に他人は疑った方が良いという考えの人もいるでしょう。

Z世代の部下と適切な関係をつくるためには、信じることは必要です。ただし私は、**何でも信じれば良いというわけではない**と考えています。

常に肝に銘じているのは、**「過去を実績として信用しても、今後起こることについては信頼しない」**ということ。これはぜひ、皆さんにも覚えておいていただきたいと思います。

Z世代の若者を指導・教育する場合、**彼らがこれまでやってきたこと、結果を残してきたこと、つまり実績については大いに信用します。**なぜならその実績は、今の彼らを形成している大切な要素の1つであり、尊重すべきものだと考えているからです。

その一方、**この先彼らが取り組むことは、たとえ以前やったことのあることの延長だとしても、まだかたちになっていないものなので、信頼はしません。**決して彼らの考え方や行動を疑うわけではありませんが、信頼はしない。

このようなスタンスで、指示を出し、彼らの行動を見極めることも、マネジメント層においては重要なのではないかと考えています。

34 叱るときは「目的・行動否定・解決策を一緒に考える」シナリオをつくっておく

最後になりましたが、Z世代の若者たちに指導・教育をする上で避けては通れない、叱ることについての私の考えも、お伝えしておきたいと思います。

当たり前のことですが、最もやってはいけない叱り方は、感情に任せ、怒鳴りつけること。これは叱っているのではなく、怒っているだけです。また、人格を否定するような発言をしたり、過去を持ち出し、今回の事項とは異なることまで叱ったりするようなことも、ダメな叱り方として広く知られています。

叱ることの目的は、相手に気付きを与え、修正をさせること。だからこそ、相手にきちんとその意図が伝わる叱り方をしなければいけません。

しかし、人を叱るときは往々にして突然やってきます。そしてつい、その場で言いたくなってしまうものです。が、**私はあえて、叱るときこそ、シナリオを前もってつくるよう**

にしています。自分自身が一度冷静になるという理由もありますが、Z世代の若者にきちんと叱っている理由を理解してもらい、今回の行動を修正し、次の行動につなげさせるためにも、シナリオを用意することに大きなメリットがあると感じているためです。

ではどのようなシナリオをつくるかというと、**「目的・行動否定・解決策を一緒に考える」シナリオ**です。本書で何度も登場している目的については、皆さんもうすでにしっかりと理解していただいていることと思います。Z世代には何をおいてもまず、目的を的確に伝えることが大切です。

そして、叱るポイントとなる行動否定についても、あらかじめ自分の中で要点をまとめておきましょう。どの行動が問題だったのか、この行動をすることにどんなリスクがあるのかといった項目を確認し、簡潔に伝えられるよう準備をします。

最後に必要なのは、解決策を一緒に考えるシナリオです。ただ叱るだけでは、部下には何も響きません。**次に同じようなことが起きた場合、どう考え、どうすべきなのかを共に模索し、その時々での答えを出すことが、叱ることのゴールである**ことをしっかりと認識しましょう。

STUDY 4

教えっぱなしは NG! 丁寧なフォローが今どき部下を動かす

35

「分からないときは質問して」ではなく「○○のときは声をかけて」が正解

第3章では令和式教え方のキホンをお伝えしました。本章では、より具体的に、Z世代の若者たちに動いてもらうためのコツをお教えしたいと思います。まずは令和式の声かけから始めましょう。


皆さんは部下への指示出しの最後に、こんな言葉をかけていませんか？

「もしも分からないときは質問して」。

このフレーズだけ見れば、特に大きな問題はないように思えますが、実は令和式では、これはNG！ その理由はとてもシンプルです。

実は多くの部下は、〝分かっていないかどうか、分からない〟状態に陥っている可能性があります。それなのに「分からないときは」と言われても、今自分が分からないときなのかどうか判断ができません。

そして畳みかけるように「質問して」。これもなかなかハードルが高い言葉です。質問をするためには、上司に何を聞きたいのか、自分で分かっている必要があります。

仕事を覚え始めたばかりのZ世代部下に「分からないときは質問して」と言っても、何が分からないのか分からず、何を聞けば良いのかも分からないという混乱を招くだけ。結果的に部下は何の行動も起こせず、マネジメント層が気付いて指摘するまで、誤った状態を継続してしまうことになります。

では、どんな声かけが正解なのか。

それが**「〇〇のときは必ず声をかけて」**です。

「計算の結果に間違いがあると感じたときは必ず声をかけて」「電話の相手が言っていることが理解できていないときは声をかけて」……このように、具体的なアクションが発生した場合、必ず上司に声をかけるよう、伝えてあげてください。

第3章でもお伝えした通り、Z世代の若者たちは察することに長けていません。さらに、時間や費用対効果、効率を重視するコストパフォーマンス、タイムパフォーマンス重視世代。だからこそ、**具体的なアクションを指定することで、彼らが無駄に考えたり、悩んだりする時間をつくらず、マネジメント側も異変に気付きやすい環境をつくることができる、この声かけが有用**なのです。

36 Z世代には「誰のために頑張りたい？」の問いかけでモチベーションを維持させる

もう1つ、**Z世代向けの声かけのコツとして私が伝授したいのが「誰のために頑張りたい？」というフレーズ**です。

我々上司世代からすると、なんだか少し恥ずかしいような気がする言葉ですが、承認欲求や共感を大切にする若者にとって、この言葉は魔法の一言。彼らのモチベーションを維持させるための重要なフレーズです。

本書では何度も、若者たちが重視する価値観の1つに、この仕事は何のためにするのか、目的を明確に伝えることが大事だとお伝えしてきました。**「誰のために頑張りたい？」という言葉は、部下に対し、自分が働く目的を再確認させる役割があります。**

つい雑務に流され、目的を見失いがちになったとき、人のモチベーションは低下します。そこで、**このフレーズを使い、もう一度、部下自身に自分の目的を思い起こさせることで、再度モチベーションを維持させることができる**のです。

ちなみに、もしも部下が「推し（※）のために頑張りたい」と言ったら、もちろん多様性の時代、「それは良い！　一緒に頑張ろう!!」と答えてあげてくださいね。

※推しとは、芸能人やYouTuber、アニメのキャラクターなど、自分が好んでいるものや、それらを応援することを指す言葉

37 ルールと定義の目線合わせをし、提出期限と完成期限は別物であることを教える

さて、日頃、私はさまざまな企業のマネジメント層と若手社員と話をする機会があります。〝今どきの若者〟と呼ばれることの多い社員たちは「少し指導をすると辞めてしまう」「仕事のやり方がなっていない」など、上司にとって悩みの種になっています。

一方、Z世代の若者たちは「上司の言っていることの意味が分からない」「言われた通りやっているのに怒られる」といった不満を抱えている場合がほとんどです。

早速、次の例を見てみましょう。

大手企業に勤めるAさんは、部下の仕事が遅いことに不満を感じています。「月曜までに提出するように」と言ったのに、部下は月曜日の定時前に資料を提出してきたと言うのです。「普通、月曜と言われたら、前の週の木曜くらいには私に見せるものでしょう」。

たしかに、一理あります。でも、言葉通り受け止めると、Aさんは月曜を提出締切として明示していますし、部下はそれを守って、きちんと提出しているのですから、問題はないように思えます。

このコミュニケーションをもう少し分解してみましょう。Aさんの発想はこうです。

月曜日には完成形の資料を提出したい
↓部下が一度で完璧な資料を提出することは難しいだろう
↓であれば、修正する時間も加味して、おおよそ前週の木曜くらいには資料を見せるべきだ
↓部下もそれくらいのことは分かっているだろう
↓部下には「月曜までに提出するように」と伝えよう

結果として、部下にはAさんの〝分かっているだろう〟の部分が全く伝わっておらず、言われた通り、月曜日に資料を提出してきたというわけです。

もしも最初の段階で、「月曜には完成形の資料を提出したい」、あるいは「修正の時間が

かかることも加味して提出してほしい」といった適切な指示を出していれば、このようなミスコミュニケーションは発生しません。

指示を出す上で私が重要だと考えているのは、**ルールと定義の目線合わせをすること。**

具体的には、以下のステップで指示を出すことです。

ステップ1：「提出期限＝完成期限」なのか、「提出期限＝初回提出期限」なのかを明確にする
ステップ2：修正が必要な可能性があることを伝え、それを見越した提出期限を設定する
ステップ3：期限の設定は、「何日の何時まで」と明確に指定する
ステップ4：上記を踏まえ、部下にTODOリストをつくらせる
ステップ5：TODOリストに基づき、資料作成に必要な時間を予想させる
ステップ6：TODOリストと所要時間を、スケジュールに組み込ませる

このプロセスを踏んだ指示出しを行うことで、上司と部下のミスコミュニケーションを

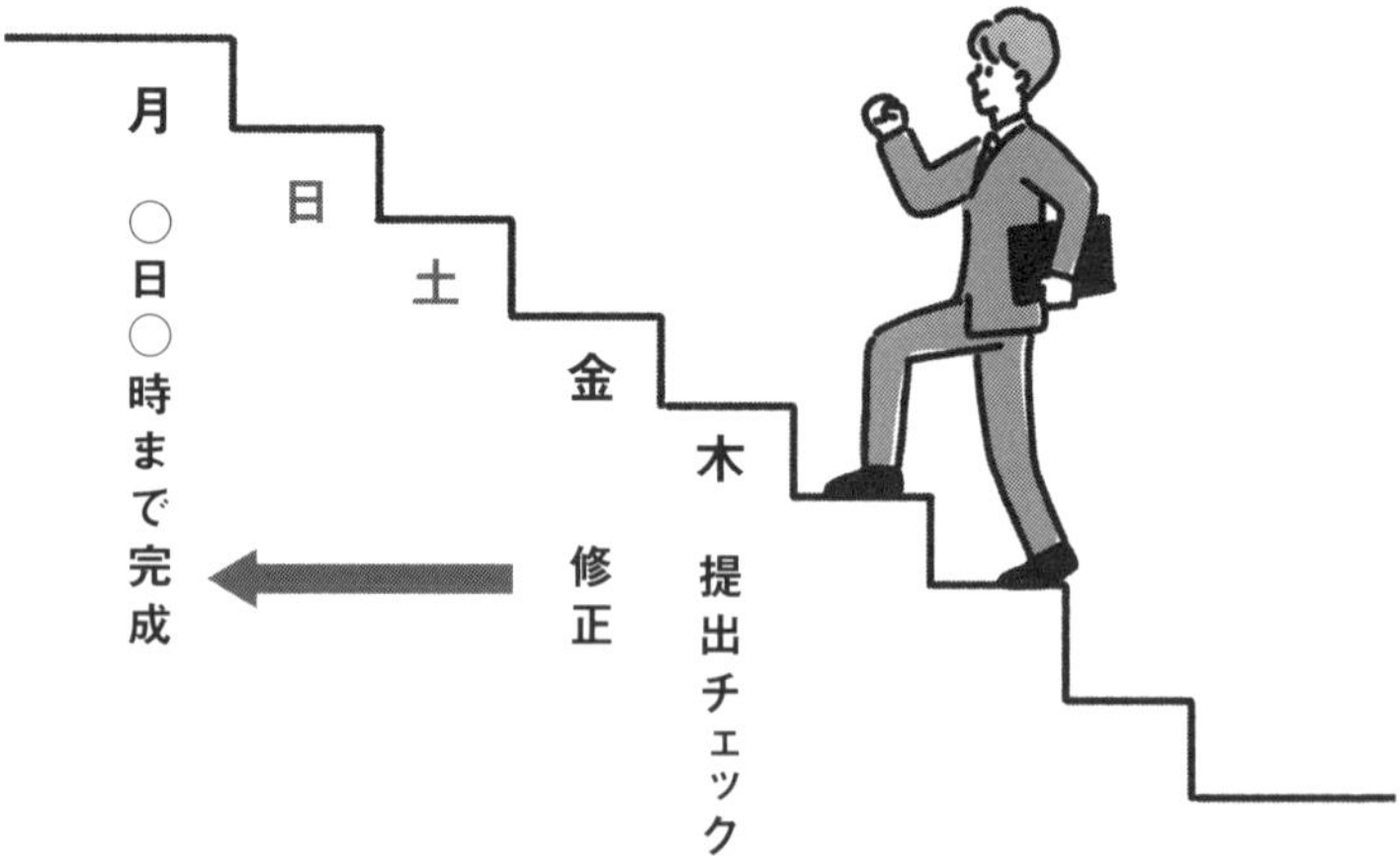

格段に減らすことができます。上司の発する「月曜までに提出するように」には、本来、多くの要素が隠れていますが、それを部下に〝察しろ〟というのは無理があるのです。

特に、**経験の少ないZ世代の若者たちには曖昧な指示が大きな負担になり、やがてその負担が不満に変わっていきます。**マネジメント側はそのことをよく理解し、的確で明解な指示を出すことを心がけましょう。

38 朝昼夕雑談で「自分を見てくれている」と思わせ、高モチベーションをつくる

マネジメント層が丁寧で適切なフォローを行うことで、Z世代の若者たちは少しずつ社会人としての力を付けていきます。その成長を確認する場が、1on1や査定面談など。しかし、それだけでしょうか?

第2章でも少し触れましたが、昨今、職場でプライベートの話をするのを避ける上司、部下が増えているように思います。しかし、私個人の考えでは、**人と人とが関係性を構築する際、プライベートに一切触れない間柄は、やはり不自然**です。

たとえ上司と部下であれ、業務に直接的に関わらない雑談をすることが、双方が心地良く仕事をする上で欠かせません。

そして**この雑談の場こそ、Z世代の若者たちに対し、マネジメント層側がどんな姿勢で接しているのかを示す、良い場にもなる**のです。

私は日頃、企業のマネジメント層の方々に、**積極的な雑談、〝朝昼夕〟雑談を推奨しています。**

朝、顔を合わせたらまず、「おはよう。調子はどう?」とか「昨日の打ち合わせはどうだった?」など、その日の懸念事項がないかを確認する。お昼休みには「ランチは何を食べたの?」や「午前の予定は順調だった?」といった声かけをする。夕方、退社をする際には「午後の会議はどうだった?」「夕方の訪問、大変だったね」と、その日1日の振り返りになるような言葉をかける。

これらの雑談には、上司側から部下へ〝今日もきちんとあなたのことを見守っているよ〟というメッセージを伝える意味もあるのです。

何も雑談=100%プライベートのことである必要はありません。業務に関するちょっとした感想を聞いたり、なんとなく気にかかっていることを聞いたりする中で、自ずと個人的な考えやプライベートに通じるような会話のキャッチボールが生まれるもの。

それらも含め、Z世代の若者たちが、マネジメント層はきちんと〝自分を見てくれている〟〝自分に興味を持ってくれている〟と感じられる環境をつくることに意義があります。

特に、**共感への意識が高い彼らは、このような雑談の中で上司との関係性を構築していくことで、仕事へのモチベーションが向上する世代**でもあります。何もランチに行ったり、夜、飲み会をしたりする必要はありません。

マネジメント層の皆さんは、双方の負担が少ない〝朝昼夕〟雑談からでも、適切な関係性づくりができることをぜひ覚えておいてください。

39

報告がないときは「部下が報告してくれないのは自分に原因がある」と考える

皆さんは、部下から業務に関する報告がないことにイラっとしたことはありませんか。おそらくほとんどの人が、一度は経験があることでしょう。

では、なぜ部下が報告をしてくれないのか、考えたことはあるでしょうか。こう聞くと、多くの人は「報告するのは当たり前」だと答えがちです。

しかし、本当にそうでしょうか。今、皆さんが報告をすることが当然だと考えているのは、長年の経験、上司からの指導（や時にお叱り）を経て、学んだから。**まだ経験の浅いZ世代の若者たちに、いきなり報告することを求めるのではなく、「部下が報告してくれないのは自分に原因がある」と考えてみませんか。**

では、皆さんにどんな原因があるのでしょうか。

考えられるのは、報告をするよう、指示を出していない可能性です。例えば、あなたが報告すべきだと思っているタイミングと、部下が報告をしようと思っているタイミングが合っていなければ、永遠に報告がないことにイラッとし続けることになります。

あるいは、部下はすでに報告をしたつもりでも、あなたがそれを報告だと受け取っていないという可能性もあります。以前、こんな話を聞きました。

上司であるAさんは部下からの報告が少ないことに不満を感じていました。例えば、顧客への見積書をつくるよう指示をすると、「見積書をつくりました」としか、報告してこないと言うのです。それこそまさに報告なのではと思うのですが、Aさんは「こんな内容でつくろうと思うのですがという報告や、形式はこれで良いかという報告がほしい」タイプだったのです。これは相談や確認ではないかと言ってみたところで、そもそもAさんが考える報告の定義を変えることはできません。

そんなAさんの部下であるBさんは、自身のメンターを務める先輩社員に「Aさんから報告が足りないと言われる」という悩みを相談しました。元々Aさんの考え方を把握していた先輩社員は「結果の報告だけでなく、経緯やそこに至った考え方まで報告してみては」とアドバイスしたそうです。しかしBさんの悩みはさらに続きます。〝どこまでの報告を求められているのか、毎回苦慮するようになり、結果的にAさんに声をかけることさえ苦痛に感じるようになってしまったのです。

では、正しい報告とは何で、どうしたら部下は正しく報告してくれるのか。

ここでも重要なのは「ルールと定義の目線合わせ」です。指示を出す際には、どのようなタイミングで、どのような報告がほしいのか、まずは部下ときちんとすり合わせをしましょう。さらにもっと細かく伝えるのであれば、報告の形式は口頭で良いのか、それとも一定頻度で書面化すべきなのか、ミーティングを設定すべきなのかも指示しておくべきことでしょう。

報告という業務における必須事項において、小さなミスコミュニケーションが続けば、やがてもっと大きなレベルで支障を生みかねません。マネジメント層からすると、〝こんなことまで指示しなければいけないのか〟と思うかもしれませんが、それが令和式だと腹をくってください。

40 Z世代は「分かりません」と言えない、教えるときは1時間に1回確認を重ねる

最後にもう1つ、Z世代への指導・教育でポイントになることをお伝えします。

これもマネジメント層からすると、〝こんなことまで……〟の部類かもしれませんが、すでにここまで読み進めていただいている皆さんなら、十分ご理解いただける内容だと思います。

Z世代にはさまざまな特長があると言われていますが、そのうちの1つに**「分かりません」が言えない**というものがあります。これには、何が分かっていて何が分かっていないのかが〝分からない〟という理由と、「分かりません」と言うこととその後の相手の反応が不安という理由があるでしょう。

私自身も社員教育に携わる中で、〝こちらの指導に対し、反応がないけども、きちんと伝わっているのかな〟と思うことが幾度もありました。そこで私が採り入れたのが、**意図的に相手の理解を確認する時間を設ける**ことでした。

具体的には、1時間に1回程度のペースで、そこまで話した内容についてまずは私が振り返り、その後、彼ら自身の言葉でもう一度概要や感想を語ってもらう時間を持つことにしています。

このプロセスは企画の創出といった大きな場だけでなく、書類の作成の仕方や電話応対の方法を教えるといった、実務面の指導のシーンでも有効です。

最初はかなり細かな部分まで確認をする癖を付けてください。その後、業務への理解度の向上とともに、確認頻度を減らす、確認項目を減らすかたちで、部下に任せるフェーズへ進んでいくと良いでしょう。

相手&シーン別
令和式教え方

ここでは、少し話題を変え、
相手やシーンに合わせた
令和式教え方を
考えていきたいと思います。

41

年上部下は、得意なこと・やりたいことを確認しながら教えると気持ち良く働く

まずは、部下が年上の場合です。

このパターンは上司、部下とも少し気を遣うシーンが多いかもしれません。特に、中途採用での入社などにより、部下が特定の業務を初めて担当する場合、上司はどのように指導・教育すべきか悩む場合があるでしょう。

私が考える**年上部下の指導・教育のポイントは、相手を立てること！**　あなたよりも豊富な経験を積んでいる年上の部下には、これまでその人が培ってきた物事に敬意を表しながら接することが大切です。まずは**相手の得意なことを聞き、そのスキルが活かせるような業務を率先して担当してもらいましょう。**

また、**相手が新たに身に付けたいと思っていることや、やりたいことをきちんとヒアリングすることも重要**です。お互いに心地良く働くためには、相手のモチベーションを維持することが欠かせません。そのためにも、まずは相手が得意なこと、次にこれからやりたいと考えていることは何なのか、しっかりと確認しましょう。

また、年上部下だからといって、過度に気を遣う必要はありません。もちろん、年長者に対し、最低限の礼儀を守ることは重要ですが、**気を遣いすぎて、言うべきことすら言えない状況は健全ではないと心得、適切な指導・教育をすることを意識してください。**

それは、部下本人のためであると同時に、共に働く他の部下のためでもあります。〝上司はあの人に甘い〟といった印象を持たれることは、あなたにとっても、年上部下の方にとっても良いことではないと意識しましょう。

42

心配性には、ポイントを絞らず一から十まで漏れなく、ゆっくり丁寧に教える

さて、世の中には一定数、心配性の人がいます。良く言えば、とても慎重だということ。そんな人たちに指導・教育する場合には、どんなことに気を付けるべきでしょうか。

その1つは**ポイントを絞らず、一から十まで漏れなく教えること**です。

心配性の人は往々にして、気にかかる箇所が出てくると、手が止まってしまったり、考え込んでしまったりするものです。そうならないためには、業務のプロセスなどを省かず、最初から最後まで1項目ずつ教えることが大切。**上司側は〝これくらい分かるだろう〟という考えを持たないことを意識しましょう。**

そしてもう1つ大切なのが、**ゆっくりと丁寧に教えること。**人は急いでいると、つい説

明がおろそかになったり、伝えようと思っていたことを省略してしまったりします。
心配性の人に指導・教育する際には、上司側も時間のゆとりをしっかりと確保し、ゆっくりと丁寧に教えることを心がけてください。

43

リモートでは対面の1.5倍の頻度で声かけを

最後に取り上げるのは、令和ならではのリモートでの指導・教育のシーンです。

ここ数年で一番大きな働き方改革になったのは、在宅勤務やリモートワークの普及ではないでしょうか。皆さんの大半の方も、おそらく一度はオンライン会議やウェブミーティングに参加したことがあるのではないかと思います。

その際、実際のところ、どのように感じましたか？

私自身もコロナ禍で１ｏｎ１やコンサルティングがリモートになり、これまでの対面方式との違いに最初は大きな戸惑いを感じましたし、従来と同じスタイルでは成立しないという危機感も感じました。そんな状況を経て、今ではすっかりリモートスタイルが日常化しています。

では、私自身、リモートでの指導・教育でどのようなことを心がけているかというと、**声かけの頻度**です。リモートの場合、対面の場合とは異なり、相手とのコミュニケーションはモニターとヘッドフォンを通じて行われます。

上司からすると、**モニター内で見えている範囲での部下の姿しか確認することができません。**対面では、例えば、緊張して手が震えているとか、足に落ち着きがないというような自然に出る動作も見ることができますが、リモートでは見られないのです。部下に関する情報は、あくまでも見えている範囲の中から判断するしかありません。

一方、部下からすると、**上司の声はヘッドフォンを通じてしか聞こえません。**皆さんも経験があるかもしれませんが、ヘッドフォンの音声は実際の声よりもクリアに聞こえづらかったり、雑音や回線の影響で途切れてしまったりすることがあります。でも、なかなか「聞こえませんでした」とか「もう一度お願いします」とは言いづらいですよね?

つまり、**リモートでの指導・教育は、上司にとっても部下にとっても、対面よりも意識を集中する、些細なことに注意を払う必要がある**のです。

そこで重要なのが、声かけの頻度というわけ。

私の場合、対面の場合に比べ、約1・5倍の頻度で、モニター越しの相手に声かけをするようにしています。リモートでのやり取りがよりスムーズに、効果的になるこの方法を、皆さんもぜひ、参考にしてみてください。

STUDY 5

一度教える だけでは育たない、教え続けることの 重要性とは

44

メール、電話、チャット、口頭のうち2つを使用し、伝わっているかを確認する

第4章では、令和の教え方の基本をお伝えしました。しかし、残念ながら、これらの基本をすぐに実践したとしても、部下が突然成長するわけではありません。**指導・教育に必要なのは、教えることではなく、〝教え続けること〟**。一度教えて終わりではなく、教えたことが定着しているか、つまずいているところはないかを確認しながら、反復することが大切です。第5章では、教え続ける上で重視しておきたいポイントをお話しします。

早速取り上げるのは、指導・教育したことがきちんと伝わっているかを確認する、シンプルな方法です。それは、**メール、電話、チャット、口頭という4つのツールのうち、2つを使用し、教えたことが理解できているかを確認するという方法**。

ポイントは、2つのツールというところにあります。

皆さんはこんな経験はありませんか？

口頭で上司とやり取りをした際には、疑問点もなかったし、やり方も理解していた。しかしそれを第三者にメールで伝えようとしたら、うまく書き出すことができなかった。

会話の流れの中では特に違和感を持たなかったことも、文章にする際、もう一度自分の頭の中で整理をすると、気になる点が出てくるという経験がある人は多いでしょう。

逆に言えば、**きちんと理解ができていれば、異なるツール上で説明をしても、問題がないということ。**

だからこそ私は、指導・教育した内容を2つのツールで確認することを推奨するのです。

特に、電話と口頭という音声による伝達と、メールとチャットという文章による伝達を組み合わせることで、部下の理解度がどの程度なのか確認するのが良いでしょう。

45

1週間全てを報告させて「何が必要か」ではなく「何がいらないか」を検証する

仕事を始めたばかりの新入社員や若手社員を指導・教育するマネジメント層の方とお話をしていると、「最近の若者は、報連相すらできていない」という声を聞くことがあります。第4章でも触れましたが、報連相をどのレベル感でするべきなのか、どんな内容が報連相の対象になるのかは、ルール決めと定義付けをし、上司・部下の間できちんとコンセンサスを取っておくことが重要です。

でも、それよりも前の段階で、そもそも報告や連絡、相談をすること自体に慣れていないというZ世代の若者たちの場合、ルールや定義よりも先に、やるべきことがあります。

それが、**まずは報告をすることを習慣化させ、報告の粒度を学ばせること。**

そのための下準備として、例えば、**1週間の行動や成果を全て上司に報告をさせるとい**

う方法があります。部下側に些細なことであれ、まずは全てを報告するという癖を付ける訓練です。これにはマネジメント側に、部下からの報告の粒度を整えていくという狙いもあります。

ここでのポイントは、報告してきた内容の中で、「これは必要」だというものを伝えるのではなく、**「この報告はいらない」と判断できるものを見つけ、部下に伝えること**。必要なものは時と場合に応じて変化しますが、確実に不要なものはこの段階である程度判断できるはずです。

また、この方法は、指導・教育の初期段階から、〝不要なもの〟を明確にすることで、若者たちが無駄に悩んだり、迷ったりする可能性を下げられるという点で、コストパフォーマンスやタイムパフォーマンスといった効率の良さを重視するZ世代にぴったりの方法でもあります。

そしてもう1つ、何度かお伝えしていますが、**マネジメント側は部下の報告をしっかりと聞き、理解している、共感しているという姿勢を示すことを忘れないようにしましょう。**

46

相談が苦手なZ世代には、3日以上の仕事は1日1回中間報告させる

報告することに慣れ、少しずつ仕事のやり方も覚えたZ世代の若者たちが、再び報連相でつまずきやすいのが、中長期的なタスクに取り組むようになった時。

1つのタスクを終え、それについて報告するというスタイルから、複数のタスクをある程度まとめて報告するスタイルに移行する際にも、マネジメント層からのフォローが欠かせません。

このような場合に私が提案するのが、**業務の結果報告だけではなく、中間報告をする癖を付けさせること。**具体的には、3日以上を費やすタスクの場合、終了時の結果報告だけではなく、毎日進捗状況やその時点での課題などを中間報告させる方法です。

元々、**相談をすることに苦手意識を持つZ世代の若者たちには、マネジメント側がきちんと報連相をできる環境を整えることが重要。**1日1回時間を取り、話をする場を設けることで、部下側は「その時間は報告や相談をするためのもの」だということを認識し、業務の中で気になったことなどをその時間用に〝用意〟できるようになります。

こうして、**報告の癖を継続させ、〝気軽に相談できる〟雰囲気を醸成することも、マネジメント層の大切な役割**なのです。

47

「自分とのアポイント」を予定させ、時間管理力を高める

さて、仕事を進める上で重要な要素はさまざまありますが、おそらく全ての業務において切っても切り離せない要素と言えば、納期や締切といった時間ではないでしょうか。**Z世代の若者たちが一人前の社会人となり、活躍するためには、時間を意識する、順守することが不可欠**です。

では、彼らにどんな風に指導・教育したら、時間管理力を高めることができるのか。ここでは実際に私自身も行っている「自分とのアポイント」という方法をご紹介します。

皆さんも業務上カレンダーやスケジュール帳などを使い、人とのアポイントや打ち合わせの日程などを管理していることでしょう。**私の場合、それに加え、「自分とのアポイン**

ト」の時間も意識的に設け、スケジュールに加えています。この時間を何に利用するかは、その時々で異なります。重要な提出物が控えている時であれば、その作成のための時間にしますし、少し先の計画を立てるため、資料を読み込んだり、考え事をしたりするための時間に使うこともあります。

もちろん多くの人は、このような時間をわざわざスケジュールに加えなくても、確保している、あるいは無意識に確保できているでしょう。しかしあえて、「自分とのアポイント」というスケジュールにすることで、私はより時間を意識した動きができると考えています。

特に、社会人経験の少ない新入社員や若手社員の場合、仕事に追われ、〝気が付いたら時間が過ぎていた〟というようなことも多いはず。

まずは意識的に「自分とのアポイント」をスケジュールに組み込むことで、時間に対する感度を高め、時間は自分で管理するものであるということを身に付けることが必要なのです。

48

令和の上司は共に歩みを進め、成長するスタンスで、心理的安全性を高める

皆さんはこれまで、指導・教育におけるスタンスを意識したことはありますか。

例えば、〝友達みたいな〟関係だったり、〝部活の先輩後輩〟風だったり、人によっては〝上司は絶対〟というスタンスの方もいるかもしれません。さすがに、〝上司は絶対〟スタンスが令和の時代に通用しないことは、おそらくご理解いただけるでしょう。

では、令和の上司はどのようなスタンスでいるべきなのか。

それは、**部下と共に歩みを進め、共に成長するスタンス！**ぐいぐいと引っ張っていくのでもなく、後ろからそっと見守るのでもなく、隣にいて、共に考え、共に動いていくスタンスこそが、令和に求められるものなのです。

ではなぜ、このようなスタンスが良いのか。

そこには1つ、Z世代ならではのキーワードが隠れています。それが、書籍などでもしばしば見かけるようになった〝**心理的安全性**〟です。この言葉は、1999年にエイミー・エドモンドソン氏が提唱、「チームの他のメンバーが自分の発言を拒絶したり、罰したりしないと確信できる状態」と定義されています。チーム内で心理的安全性が確保されていることで、活発な意見交流ができ、健全なコミュニケーションが図れる。このような環境が維持されていることを、Z世代の若者たちはとても重視しているのです。

では、スタンスの話に戻りましょう。ぐいぐいと引っ張っていくスタンスの場合、後ろからついていく部下はどんな気持ちでしょうか。〝ついていくことに必死？〟、〝正しいと思われる道を教えてくれているのに、後ろから意見や疑問を言いづらい？〟、ハードそうですね。後ろからそっと見守るスタンスの場合はどうでしょうか。〝そもそも見守られているかどうか分からない？〟〝後ろで悪口を言われていたらどうしよう？〟、上司は見守っているつもりでも、部下は後ろから〝見張られている〟と思っているかもしれません。

ということで、**心理的安全性を確保するための適切な距離は、前でも後ろでもなく、隣にいて、共に、伴走者として寄り添った状態**なのです。

49

行動を褒めるよりも、存在を認めるのが令和式

共に歩みを進めるスタンスにおいて、上司から部下への声かけは欠かせません。

では、どのような声かけがより効果的なのでしょうか。

よく取り上げられるのは〝褒めて伸ばす〟教育でしょう。たしかに、褒められて嫌な気持ちになる人はあまりいません。例えば、〝つくってくれた書類、とても上手だったよ〟という誉め言葉は、頑張って書類をつくった甲斐があったな、また頑張ろう……と次の行動を促すきっかけになります。このような、行動を褒める言葉は、部下のモチベーション維持・向上に一定の効果があるでしょう。

しかし、時代は令和です。行動を褒めるよりももっとZ世代の若者たちに刺さる方法が

あります。それが、**存在を認めること**。多様性、コスパにタイパ、共感に心理的安全性など、すでにさまざまなキーワードが出てきていますが、令和において、**「存在を認める」も、ポイントとなる言葉**です。

では実際に、どのように部下の存在を認めれば良いのか、マネジメント層の皆さんはちょっと悩んでしまうかもしれませんね。

しかし、それほど難しく考える必要はありません。例えば、〝あなたがいてくれるおかげで、職場が明るくなった〟〝提案に同席してくれたおかげで、スムーズに話がまとまった〟といったようなフレーズはどうでしょうか。その人の存在を認め、それに感謝していることが伝わる言葉だと思います。

令和式は、何かをした行動を褒めるのではなく、その人がいてくれることを認める。

このことを覚えておいてください。

50

人はイメージできないと動けない、完成物や動画を見せてゴールをイメージさせる

突然ですが皆さん、今、「空を飛ぶ潜水艦の羽の仕様書を書いてください」と言われたらどうしますか。その道の専門家である場合を除き、ほとんどの人が〝見たことがないものは書けない〟と考えるのではないでしょうか。

空を飛ぶ潜水艦は極端な例だとしても、人はイメージが浮かばないものに対し、アクションしづらいもの。**どんなものなのか分からないという状態では、何をすれば良いのか見当もつかない**のです。

これは仕事においても同じ。新入社員や若手社員にいきなり「仕様書を書いて」と指示を出しても、彼らはそれがどんなかたちのもので、何が書かれているのか、作成にはどん

なステップがあるのか、分かりません。**マネジメント側は、初めての業務にトライさせるにあたり、適切な準備をしてあげることが必要**です。

その**一例が、完成物や動画を見せるという方法**です。完成物があれば、部下は〝正解〟を直接見ることができます。あるいは、実際の物を紹介した動画や、プロセスを描いた動画などがあれば、作成までの道のりを知ることが可能です。

指導・教育の場において、しばしば言われるのは〝ゴールの姿を示す〟ことの大切さ。見たことのない、想像もつかないゴールではなく、**部下側が触れることができ、イメージを持つことができるゴールを提示することも、マネジメント層のすべきことの1つ**なのです。

51

1日1回決めたルールを確認することが、当たり前を継続する習慣になる

具体的なゴールを見せ、定期的な報告をさせ、心理的安全性を確保しておけば、Z世代の若者たちは順調にすくすくと育っていってくれるでしょうか。

残念ながら、答えはNOです。指導・教育はそれほど甘いものではありません。大切なのは教え続けること。1つのことがいつの間にか部下にとっての〝当たり前〟になるまでには、長い時間が必要です。**マネジメント層は、当たり前になるためのサポートの仕方も学んでおく必要があります。**

そこで**採り入れていただきたいのが、毎日のルール確認**です。

1日1回、同じ時間に、上司・部下間で決めたルールを確認する時間をつくるというい

たって簡単な方法ですが、これを必ず毎日行うことで、習慣をつくる、当たり前になるプロセスを身をもって体感することができます。

確認するルールは職場や職種によってそれぞれですが、それほど複雑なものである必要はありません。以前お伺いした企業では「前日の行動履歴を、朝11時までに入力完了できているか、入力項目に抜け漏れはないか」というようなルールの確認をされていました。

難しいところですが、この時間にあまりに確認事項が多いと、上司・部下双方にとって負担が大きい時間＝苦痛になってしまう可能性もあります。

あくまでも習慣化のプロセスを学ぶことが目的と割り切り、簡単なルール確認だけの時間にするというのも1つの方法でしょう。

52

困っているZ世代には「助けてあげたいんだけど、どうしたら良い？」

ここまでお話をさせていただき、Z世代の若者たちを育てるためには、さまざまなシーンでマネジメント側の手厚いフォローやサポートが必要であることは、十分にご理解いただけたかと思います。

実際、部下が困っている様子の時に、声をかけない上司はいません。どのような上司であれ、部下が困っていれば、助けてあげたいと思うのが心情というもの。

しかし、**ここで誤った声かけをしてしまっては、元も子もありません。**

では、誤った声かけとは何か。

それは、よく聞く「大丈夫？」という一言です。なぜこの言葉がNGなのでしょうか。

皆さんも誰かから「大丈夫？」と聞かれた時、自分ならなんと答えるかを考えてみてください。

一番多い回答は「大丈夫です」でしょう。もしかすると「大丈夫じゃない。助けて」と言える人もいるかもしれませんが、上司に向かってそう言える人は非常に稀でしょう。

また、「大丈夫？」という声かけの回答はイエスかノーになってしまい、部下側がどうしてほしいのか、あるいは上司側がどう動くべきなのかの解決には、すぐには結び付きません。

そこでお教えしたいのが**「助けてあげたいんだけど、どうしたら良い？」というフレーズ**です。

この言葉の前半には、上司側の意思、つまり〝困っていると感じているので、それを解決してあげたい〟という気持ちが入っています。これにより、部下は上司の意図を汲むことが可能です。

そして後半の「どうしたら良い?」で、部下側の意思を聞きたいという意図を伝えることができます。

一昔前であれば、「大丈夫?」という言葉をきっかけに、コミュニケーションを図り、双方の意図や希望を確認するというステップを踏むことは、それほど難しいことではありませんでした。しかし今は令和、Z世代の若者たちとのコミュニケーションは、残念ながら、容易ではありません。

1つの声かけが持つ意図を、上司側、部下側がそれぞれ正しく理解し、消化するためには、注意深く言葉を選ぶ必要があるのです。

53

落ち込んだ時にそっとしておいてほしいのか、声をかけてほしいのかを見極める

一方、注意深く言葉を選び、声をかけることが正解ではない場合もあります。

それは、部下が落ち込んでいる時です。落ち込んだ時にどんな風に接してほしいかは、人によって大きく違います。少し離れたところから見守りつつ、そっとしておいてほしい人もいれば、積極的に声をかけ、話を聞いてほしい人もいるでしょう。

この点においては、Z世代だからこうという典型を探すのではなく、相手の様子や性格、落ち込み具合などで、臨機応変に対応することが、上司側に求められています。**マネジメント層は日頃からよく部下を観察し、どちらのタイプなのか、あるいは、どういう場合にはどうしてほしいタイプなのかを考えておくと良い**でしょう。

また、もしもすでに部下側と良好な関係性が築けている場合、日常会話の中で「落ち込んだ時はどういう風にしてほしい？」と聞いておくというのも1つの手ですね。

54

「『さすが』と『あなたが一番』、どっちが良い？」で相手が喜ぶ褒め言葉を見つける

もう1つ、**部下がどういうタイプなのかを確認しておきたい項目として、どう褒められることで喜びを感じるのかという点があります。**

これを私の場合は、次のような言葉で確認します。

「『さすが』と言われるのと、『あなたが一番』と言われるのでは、どちらが良い？」

この2つの誉め言葉は、部下側が褒められたいポイントを明確に切り分けることができるのです。

「さすが」の場合、上司はこの部下が優秀であり、〝当然これはやってのけられるだろう〟という事前の期待を持っていることが分かります。その上で、実際上手くいったことに対

し、〝期待通りだったよ〟「さすが」となるのです。**この言葉に喜びを感じる部下は、自分に期待をかけてもらっていることを心地良いプレッシャーに感じ、それをクリアしたことで自己肯定感を高めます。**さらに、その姿をきちんと上司が認めてくれているという点が、喜びにつながります。

一方、「あなたが一番」の場合、文字通り、他の人やものと比較をし、圧倒的に優れていることを褒める言葉です。**この言葉に喜びを感じる部下は、他者と比較され、その上で自分が評価されているということを重視します。**

部下を褒めるという1つのシチュエーションにおいても、相手がどのような性格か、どのようなことを重視しているのかで使い分けることが大切なのです。

55

やる気のなさそうな部下には「〜って言われちゃうよ!」と第三者目線を活用し叱る

では、褒める場合以外の声かけでも、相手の心理を上手く利用するフレーズはあるのでしょうか。

その1つが、**「〜って言われちゃうよ!」という言葉**です。この言葉は、部下がやる気を出していない時やモチベーションが下がっている時に使います。

そのようなシーンでは「もっとやる気を出せ」と叱咤激励するという方もいるかもしれません。しかし、それだけでは、ただプレッシャーを与えるだけ。却って逆効果になる可能性もあります。

また、「なんでやっていないの?」「なぜできないの?」と理由を問う人もいるでしょう。たしかに、やる気が出ない理由が分かれば、次のステップである解決法を共に探すというフェーズに移ることが可能です。しかし、部下の心理状態によっては、〝責められている〟〝批判されている〟というネガティブな感情で捉えられてしまい、心理的安全性を脅かされたと感じる場合もあるでしょう。

ではなぜ、「〜って言われちゃうよ！」という言葉が適切なのか。

それは、**この言葉が第三者目線での発信になるから。**

例えば、部下が提出すべき書類を出していない場合を考えてみましょう。

上司が部下に「書類を提出していないね。何をしていたのか」という直接的な声かけをした場合、注意の矢印はダイレクトに上司から部下へ向いています。もちろん言うべきことはきちんと言うべきではあるのですが、**叱られ慣れていないZ世代の若者たちは、〝叱られた〟というイベントの方に気持ちが向いてしまい、それが〝指導・教育である〟という上司側の意図を上手く捉えることができない**のです。

ところが、「書類を提出していないね。何もしていなかったのかって言われちゃうよ！」

という声かけになると、何もしていなかったか否かの判断は、上司ではなく、第三者の立場に委ねられているように聞こえます。実際には、上司がそう判断しているのですが、語尾に「〜って言われちゃうよ！」をつけるだけで、注意の矢印が一瞬、他の方向を経由することに。**このワンクッションで、Z世代の若者たちは、上司の発言を〝叱られた〟というイベントではなく、自分に対する〝指導・教育である〟と認識することができます。**

1つ1つの声かけに、〝こんなに気を遣わなければいけないのか〟と感じるマネジメント層の方もいらっしゃるでしょう。そうです。**人を育てるということは、それだけ繊細なことであり、部下に対し、大きな責任を持つことでもある**のです。

その意識をしっかりと持ち、発言をすることこそ、マネジメント層に今、求められている教育観なのではないでしょうか。

56

業務の振り返りはLINEで共有、帰りがけの立ち話2分間で明日につなげる

直接顔を合わせての声かけ以外にも、指導・教育のツールはあります。それが、今やすっかり定着したLINEを活用すること。

特に、**業務の振り返りにはLINEが便利**ではないかと思います（もちろん、プライベートのアカウントを使用するのではなく、会社単位で利用が認められているアカウントを使用することや、業務用チャットなどのツールを使用することを心がけてください）。

LINEの良いところは、テキスト化されていて見やすい、さかのぼって確認することができる、メールに比べ、親しみやすさを感じられるといった点ではないでしょうか。いちいちメールを開き、返信する際は「お疲れ様です」から始め、「よろしくお願いいたします」で終わらせる面倒な慣習もありません。LINEに小さな頃から触れているZ世代の若者たちにとっては特に、日常に欠かせない、便利なツールです。

私は、**業務の振り返りは手軽な方が良い**と考えています。仰々しく会議を開いたり、メールで長々と書いたりするよりも、日々のツールでさっと確認できる方が、業務の習得がスムーズに進むのではないでしょうか。

かと言って、全てのことをLINEで済ませれば良いわけではありません。テキストだけのコミュニケーションでは誤解を生んだり、正しいニュアンスが伝わらなかったりする場合もあります。

そこで**付け足して行っていただきたいのが、退勤前の立ち話という、言わばアナログスタイルのコミュニケーション**です。例えば、上司側から部下へ「明日は○○の会議があるから、よろしく」とか、「今日の書類は明日の午前中に確認しておくよ」といった、明日につながるような会話ができると、より良いでしょう。

この**アナログコミュニーケーションのポイントは長すぎず、短すぎず。おおよそ2分程度が目安**です。あまり長いと「早く帰りたいのに」「早く帰れば良いのに」というようなフラストレーションを生んでしまうかもしれません。気を付けてくださいね。

57 令和教育の鍵は〝自己肯定感〟、「今日頑張ったことは何?」で〝自我絶賛〟させる

さて、本章の最後には、明日につながる会話と共にもう1つ、取り入れてほしいコミュニケーションを伝授しましょう。

それが**「今日頑張ったことは何?」という声かけ**です。

この言葉も、令和ならではのキーワードと関係しています。それは、**自己肯定感**です。最近の子どもたちは自己肯定感が低い、というような話題を耳にしたことがある人も多いのではないでしょうか。自己肯定感が低いと、自分に自信がなくなったり、コミュニケーションに苦手意識を感じたりすると言われているようです。**令和を生きるZ世代の若者たちの自己肯定感を高めることは、彼らの成長に欠かせない要素**になります。

そこで前述の言葉「今日頑張ったことは何?」が活きてきます。上司からこう問われた部下はその日1日を振り返り、〝これはできた〟〝ここは良く頑張った〟という風に自分を肯定することができます。これを日々繰り返すことで、**彼らは自分を肯定する癖を付けることができるようになる**のです。

世の中には〝自画自賛〟という言葉がありますね。でも、さらにパワーアップさせ、〝自我絶賛〟! **自分で自分を褒め、自分の良いところ、よく頑張ったところを認めるステップを身に付けさせましょう。**そう言えば、存在を認めることも令和の指導・教育のキーワードの1つでしたね?

マネジメント層の皆さん、Z世代の若者たちの存在を認め、彼ら自身が自分を認めることができるよう、ぜひサポートを続けましょう。

STUDY 6

仕組みをつくり、
人格を磨き続けて
教え方の
アップデートを

58

人に依存するリーダーシップはもう古い、令和時代は「組織に紐付く指導力」が鍵

さて、第6章では、教え方の仕組みづくりについて考えていきます。

第5章まで、具体例を示しつつ、若者たちを指導・教育するのに必要な心構えや、声かけの仕方についてお伝えしてきました。ここまでお読みいただいた方はすぐに実践し、部下の指導に取り入れていただくことができます。

とは言え、皆さんも人間です。毎回必ず同じように指導・教育したり、全ての部下に同レベルの実践をしたりできるかと言われれば、忙しさや気持ちの問題で、〝ブレが出てしまう〟こともあるでしょう。

また、上位層の管理職の方であれば、自分自身が指導・教育することはできたとしても、複数いる中間管理職全員に、同じような指導・教育をさせることは難しいかもしれません。

しかし、人に依存するリーダーシップは、これからの指導・教育にはそぐわないのです。

令和時代には、指導・教育をきちんと仕組化することが必要になります。もっと突き詰めてお伝えすると、**令和の指導力は、個々の人間力によるものではなく、「組織に紐付く」ものであることが鍵**になります。

ここで少し、私の話をさせてください。

私はさまざまな業種の企業様を「社外担任プログラム」というかたちでサポートさせていただいています。その発端は、部下の指導・教育が仕組化されておらず、人に依存していることに起因する多くの課題を抱える企業様からのご相談でした。

例えば、製造業のA社の場合、営業1課に所属する新人は比較的早く独り立ちし、成果を上げてくれるが、営業2課に配属する新人はなぜかすぐに辞めてしまうという課題がありました。1課のマネージャーはリーダーシップを正しく発揮し、部下たちを指導できていたのです。しかし、2課はそうではない。厳しく言ってしまえば、指導・教育の仕組化ができておらず、新人の成長はどの上司にあたるか、〝運次第〟だったわけです。

また、特に中小企業の場合、新人の教育を専門に行う人材を確保することが難しく、指導・教育の重要性は分かっていてもつい、マネジメント層側の忙しさに左右され、各新人たちに均一な指導・教育ができていない場合もあります。

不動産業を営むB社はまさにその典型で、繁忙期に入社した新人は〝なぜか〟すぐ辞めてしまうという悩みを持たれていました。

どちらの企業も、指導・教育が仕組化できていないことが問題です。そこで私が社外の指導・教育担当者という立場で関わらせていただくことにしました。

このプログラムではまず、企業の経営者層から企業理念や目的、理想とする人材などについてヒアリングさせていただきます。その上で、実際に指導・教育に携わるマネジメント層への研修や1on1を実施、まずはマネジメント側に正しい指導方法や教育観を培ってもらいます。

また、新入社員や若手社員に対しても、研修だけでなく、定期的な1on1を行い、彼らの思いや不満をしっかりとヒアリングします。そしてこちらから、会社が求めていることを伝え、そのすり合わせを行うのです。

〝外部の人間に組織の何が分かるのか〟と思われる方もいるかもしれませんが、逆に、外部の人間だからこそのメリットもあります。それが、本書で何度か登場している令和のキーワード〝心理的安全性〟です。直属の上司との面談では、当然、評価や処遇などが気になり、本当のことは言いづらいもの。それが、外部の人間であれば、ざっくばらんな話をしても〝大丈夫〟だと思ってもらえる。まさに心理的安全性が確保できているのです。

もちろん、ただ聞きっぱなしなわけではなく、研修や1on1の内容はマネジメント層、経営層へフィードバックし、双方の成長につなげ、組織として指導・教育を仕組化できるようにしています。

話を元に戻し、もう一度お伝えしたいのは、**これからの指導・教育は人に依存するのではなく、組織に紐付くものであるべき**だということ。

次の項からは、その観点で、指導・教育をする人はどうあるべきかを考えていきます。

59

信じて励ます、「期待しているよ」を役者になりきり演じる

指導・教育をする立場の人にお伝えしたい1つ目のことは、**若者たちを信じること、そして、励まし続けること！** どうしても〝こんな感じで大丈夫かな〟とか、〝昨年の子に比べ、どうも……〟と悲観することもあるでしょう。しかし、それはあなたの心の中に仕舞って、**彼らの前では常に「期待しているよ」というポジティブなメッセージを発信してください。**

仮に指導・教育をする側が激務でぐったりしていたり、ネガティブな発言をしたり、あるいは、「どうせできないだろうけど」などと相手の意欲をそぐようなことを言ったりすれば、指導・教育される側の心は離れていきます。これは、当然ですよね？

指導・教育する側は、某熱血教師のようにとまではいかなくとも、気分は役者と同じ。**全ての若手に期待しているのだという姿勢を見せ続けるようにしましょう。**

60

教員2年目で学んだ教え方、家族のように。引き受ける以上は責任を持つ

本書の冒頭でもお伝えしましたが、私はかつて中高一貫校で6年間、教員をしていました。今、皆さんにお伝えしている指導・教育のノウハウの原点はこの時に学んだものです。教員になって1年目は、正直に言うと、業務をこなすことに必死で、〝教えるとはどういうことなのか〟なんていうことをしっかりと考える余裕はありませんでした。指導・教育の根幹を考えられるようになったのは2年目以降。当時の上司や先輩の姿から〝教えること〟には大きな責任が伴うという当たり前の事実を、学びました。

そのような経験から、生徒に対しては本当の弟や妹のつもりで関わってきましたし、教員を辞めた今でも、付き合いのある卒業生たちとは、同じように関わり続けています。

振り返ってみると、私の学生時代にも、今でも印象に残っている〝恩師〟とも呼べるような先生方がいらっしゃいました。その方たちから教わったことの多くが、今の私自身の基礎、土台となっています。

そう、**指導・教育をする立場の人は、相手の人生や人格形成にそれほど大きな影響を与える可能性を持っている**のです。だからこそ、〝適当に教えておけばいいか〟などという考えではなく、彼らを家族のように大切に思い、彼らの一挙手一投足を我が事のように真剣に考えるべきなのです。

特に、社会に出たばかりの若者にとって、最初の上司や教育係は、まさに小学校1年生の担任の先生のようなもの。学校という場所でのルールから振る舞い方、社会で生きていくための知識に、コミュニケーションまで、幅広い内容を教えてくれた担任の先生と同じことを、新入社員や若手社員にしていく責任があるという強い自覚を持って、指導・教育にあたってください。

61
「自分の教え方は古くないか？」と問いかけ続け、教え方をブラッシュアップする

ところで皆さんは、自分の教え方を振り返ってみたことはありますか？

本書では主にZ世代向けの若者たちを指導・教育する際に肝となる令和式の教え方をお伝えしています。しかし、**意外に多いのが、昔から同じ指導法を採り続けている人たち**です。

もちろんそこにかつての成功体験があり、多くの人材を立派に育てた経験があることはよく理解しています。しかし、時代は確実に変化しています。

分かりやすい例で言えば、男は黙々と仕事をし、女性は家を守るといった昭和的価値観は、現在ではほぼ壊滅しています。あるいは、仕事だと言われれば、夜の接待に休日ゴルフが当たり前だった時代も、とうに過ぎています。

こういった大きな変化だけでなく、社会情勢や世相などにより、世代間の価値観は少しずつ変わっていくものなのです。であればもちろん、**指導や教育の方法も変化させるべき**。自分の教え方が古くなっていないか、時代にそぐわなくなっていないかという点にアンテナを張り、意識的に教え方のブラッシュアップ、アップデートをしていきましょう。

教え方をブラッシュアップする方法の1つには、**書籍やウェブサイトから情報を得ること**があります。専門家や、私のような立場で指導・教育に携わる人の意見に触れることは、教え方のブラッシュアップに効果的でしょう。

あるいは、**教え方に関するセミナーや勉強会に参加する**という方法もあります。これらの場所では、自分とは異なる立場で指導・教育に携わる人たちと交流をしたり、意見交換をしたりすることが可能です。

普段は出会えない、指導・教育に関するヒントが見つかるかもしれませんよ。

62 行動量、教える量、コミュニケーションの量を圧倒的に出すと教え名人になれる

指導・教育をする上で1つ、私が重要だと考えているのは、どのような相手、どのような場合でも、一定のクオリティを出すことができるようになることです。

自分の忙しさやコンディションなどに左右されないプロフェッショナル〝教え名人〟になってこそ、指導・教育の仕組化が成功したと言えるでしょう。

では、どうすれば教え名人になれるのか。

これには革新的な方法やあっという間の近道は存在していません。**地道に経験値を積み上げていくことしかない**のです。

指導・教育をする立場にふさわしい振る舞いをする行動の量、熱量も時間も労力もかけ

て教える量、そして教える相手とのコミュニケーションの量。これらを着実に積み上げていくことが、教え名人になる唯一の方法です。

その労力を惜しむようであれば、残念ながら、指導・教育をする人としての資格はありません。

逆に言えば、**シンプルなことを確実に実践してさえいけば誰でも、教え名人になれる可能性はある**のです。

63

経営理念を自分の業務に落とし込んで同じベクトルで仕事をする

そしてもう1つ、指導・教育をする上で決して忘れてはならないのが、前述した通り、**組織に紐付く指導力を培うこと。**

例えば、あなたの会社が地域社会に貢献することを経営理念に挙げているとしましょう。それなのに指導・教育をするあなたが「他人のことは何も考えなくて良い。地域の人たちに嫌われても良いから、とにかく売上だけを意識し、結果を残すように」という方針を持っていたら、部下はどう思うでしょうか。

ただ、混乱をするだけではなく、この上司は、この会社は大丈夫だろうかと不安になりますよね？

つまり、**指導・教育をする側がきちんと経営理念を自分の業務に落とし込んで、同じベクトルで仕事をする姿勢を持っていることが肝心**なのです。

まずは自分の仕事で姿勢を示す。それがしっかりと定着していれば、新入社員や若手社員を指導・教育する立場になった時も、経営理念からブレることなく、正しい方向へ教え導くことができるでしょう。

64 職場再建の三原則と5Sの徹底が素直で実直な人をつくる

さて、本書も終盤に近付いてきました。ここでお伝えしたいのは、私自身が大切にしている2つのこと。これは、指導・教育をする側にとっても、受ける側にとっても、非常に重要なことだと考えています。

その1つが、**職場再建の三原則**です。これは哲学者の森信三氏が提唱したもので、**「時を守り」「場を浄め」「礼を正す」という3つ**から成っています。

時を守りとは、読んで字の如く、時間に正確であることを示しています。もう少し広義に捉えるならば、**約束の時間や納期といった仕事に関わるさまざまな時間に対し、しっかりと意識した行動をしようということ**だと、私は考えています。つまり、自分のやっていることには全て相手があり、その人のことを考えた行動をすべきであるという教えです。

場を浄めとは、**働く場所を常に心地良い環境にしておくことの重要性**を示しています。具体的には清掃ということになりますが、何も物理的な掃除だけを指しているわけではありません。掃除をするということは、ひいては人のために働くこと。相手のために何かを積極的に行うという心を育むことにつながります。また、**清潔感のある状態を心がけるということも、この言葉には含まれている**のではないかと、私は考えています。人に会う時に不快な印象を与えないようにすることも、もちろん、相手のためにつながるのです。

礼を正すとは、まさにそのまま、**相手を尊重し、挨拶、返事といった基本的なことをおろそかにしないようにするということ。**人との関係性構築において、決して軽視してはいけないことを改めて示しているのです。

そしてもう1つ、私が重視しているのが、**5Sと呼ばれる5つの項目です。これは整理・整頓・清掃・清潔・躾から成っています。**不要なものを処分する整理、必要なものを正しく配置する整頓、場をきれいにする清掃、そして整理・整頓・清掃が常に維持される状態である清潔、これら4つをしっかりと習慣化する躾、それぞれの頭文字をとって5Sと呼ばれています。どれも1つひとつは正直、とても些細なことだと思われるかもしれません。しかし改めて身の回りを見てみると、全て完璧にできているという人は意外に少ないものです。

私は、**指導・教育において、この2つを徹底することで、素直で実直な人をつくることができる**と考えています。それは指導・教育をされる側だけでなく、する側についても同様。特に、指導・教育をする立場になると、何も変化していないはずなのになぜか〝偉く〟なったような振る舞いをしてしまう人がいます。しかし、指導・教育をする、されるという立場の違いだけで、地位や優位性に変化はないはず。だからこそ、**職場再建の三原則や、5Sを指導・教育する側、される側ともに意識し、素直で実直な人であり続けることが大切**なのではないでしょうか。

また、指導・教育をする立場の人とは言え、時には気持ちが乗らないときや、嫌なことがあって気持ちが沈んでいるような日もあるでしょう。そのようなときにも、当たり前のことを当たり前に継続していくことの大切さを教えてくれるのが、職場再建の三原則と5Sです。ぜひ皆さんもこの2つを徹底し、徹底させ、日々の指導・教育を続けてください。

65

教えることは一朝一夕にはできない、我慢の連続だが必ず結果は出る

では本章の最後に、私が考える指導・教育についての考えをまとめさせていただきます。

私にとって教えることは、子育てと一緒。今日何かを教えたからといって、明日すぐに成果が出るものではありません。部下の指導・教育も一朝一夕でどうにかなるものではないのです。

日々、さまざまなことにチャレンジする部下を見守るのは、我慢の連続でもあります。思わず口を出したくなる、手を出して、自分がやってしまった方が早いと思うようなこともあるでしょう。しかし、そこをぐっと堪え、育てていくことで、必ず結果が出ます。**結果の出ない指導・教育はありません。**

そして、子育てと同じで、**育っていく姿を見ることは、大きな喜びを感じることで**もあるのです。本書をここまでご覧いただいた多くの方は、これまで指導・教育に携わり、そのことを体感されていることでしょう。もしかすると、私が改めて言うまでもないことなのかもしれません。

しかし、敢えて大きな声でお伝えしたいのは、**信念と熱意を持ち、相手を思い、指導・教育を続けていれば、必ず結果は出るということ。**これをお伝えして、本章を結びたいと思います。

おわりに

最後に、改めて皆さんにお伺いします。

あなたは部下の指導方法を学んだことがありますか。

マネジメント層とZ世代の若手社員では、考え方も発想方法も、何もかもが違っています。令和の若者たちに、過去の焼き直しでの指導・教育は通じません。

マネジメント層の立場の人が令和の指導方法を学び、指導・教育のスタイルをアップデートしていくことこそ、今必要なことなのではないでしょうか。

本書では、おそらく多くの方が〝そんなに細かく気を遣わなければいけないのか〟とか〝それくらい言わなくても分かるだろう〟と思われるようなポイントがいくつもあったかもしれません。
しかし、異なる考えを持つ相手に対してコミュニケーションを取り、指導・教育していくということは、これくらい丁寧に、時間をかけて、しっかりと向き合う必要があるのだということをお伝えできたかと思います。

最後になりましたが、本書を執筆するにあたり、多くの方にご協力いただきました。

人材育成コンサルタントとして携わらせていただく企業の経営者・マネジメント層の方々からは、日々たくさんの学びを得ています。そして、それらの企業で働く若手社員の皆さんからは、彼らならではの考えや思いをたくさん聞かせてもらっています。彼らがいなければ、本書はただの〝大人からの推測〟になってしまうところでした。

また、教員時代の教え子たちから聞いたさまざまな話も、本書を書く上での重要な参考になりました。初めて出会ってから約20年経っても、私を慕い、事あるごとに声をかけてくれる教え子たちに本当に感謝しています。

さらに、本書の構成や文章の書き方などで多くのアドバイスをくれた仲間たちにも改めてお礼を述べたいと思います。

そして、この本を手に取ってくださった方へ。

私の経験が少しでも、部下の指導・教育やZ世代の若手社員とのコミュニケーションに悩む人の一助になればという気持ちを込めて書いた、つたない内容の本書をお読みいただき、ありがとうございました。

ぜひ明日から、令和版「教え方の教科書」で見つけたヒントを実践し、部下との新たなコミュニケーションを始めてみてください。

北　宏志

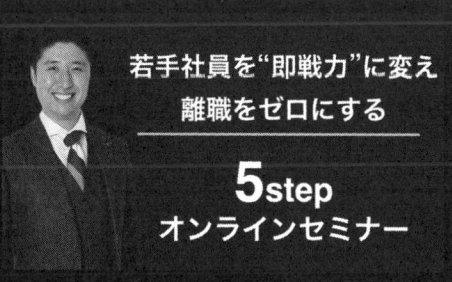

北 宏志（きた・こうじ）

㈱ポールスターコミュニケーションズ代表取締役
人材育成コンサルタント

大学卒業後、立命館大学に関係する中高一貫校で6年間社会科教諭として勤務。その後、「ララちゃんランドセル」を製造・販売する㈱羅羅屋に転職。中国での3年間の駐在中は経営幹部として部下80名を束ね、中国国内の売上を3年間で9.7倍に拡大させ黒字化させる。帰国後、日本とアジアの架け橋となり、教育をより良くしていきたいという思いから、人材育成コンサルタントとして独立。
現在は、Z世代の若手社員の研修を中心に全国35都道府県で600回以上の登壇実績を持ち、これまでの受講生は17,000名を超える。受講者にやる気スイッチを入れる熱血講師として定評があり、「研修業界の松岡修造」の異名を持つ。大手企業や各種団体から依頼される研修・セミナーのリピート率は90%を超える。離職率低下の実績も多数。

新《あたら》しい教《おし》え方《かた》の教科書《きょうかしょ》　Z世代《せだい》の部下《ぶか》を持《も》ったら読《よ》む本《ほん》

2023年11月2日　初版発行
2024年3月25日　6刷発行

著者　北　宏志
発行者　和田智明
発行所　株式会社　ぱる出版

〒160-0011　東京都新宿区若葉1-9-16
03(3353)2835－代表　03(3353)2826－FAX
03(3353)3679－編集
振替　東京　00100-3-131586
印刷・製本　中央精版印刷(株)

ISBN978-4-8272-1418-5　C0034